RIVSTART B1 + B2

Svenska som främmande språk

ÖVNINGSBOK

Paula Levy Scherrer • Karl Lindemalm

Natur & Kultur

Natur & Kultur
Box 27 323, 102 54 Stockholm
Kundtjänst: Tel 08-453 85 00, order@nok.se
Redaktion: Tel 08-453 86 00, info@nok.se
www.nok.se

Order och distribution: Förlagssystem, Box 30 195, 104 25 Stockholm
Tel 08-657 95 00, order@forlagssystem.se
www.fsbutiken.se

Projektledare Kirsti Jolma
Textredaktör Lisbeth Aronsson
Bildredaktör Riitta Tovi
Granskare Monica Sommarin
Omslag och grafisk form Anna Lindsten

Teckning s 72 Lars Esselius

Tryckt i Bosnien-Hercegovina 2014

Första upplagans åttonde tryckning

ISBN 978-91-27-66688-7

INNEHÅLL

 Skriv på separat papper

Arbeta med ordbok

Facit till övningsboken finns på webben www.nok.se/rivstart

1 **1** Adverb?

ADJEKTIV

Peter är snabb.

ADVERB

Peter är väldigt snabb.

Peter springer snabbt.

Peter springer väldigt snabbt.

Adverb beskriver adjektiv, verb eller adverb.
Adverb är ofta adjektiv + t.
Några adverb har annan form: t ex verkligen, lite, lagom.
Adjektiv som slutar på -en bildar adverb på -et: t ex mogen ⟶ moget.
Adverb har alltid samma form.
Adverb svarar ofta på frågan "hur"?

A Välj adverb ur rutan och skriv de där de passar in.
Du kan använda samma adverb flera gånger.

> oregelbundet   fult   långsamt
>
>   psykiskt   ovanligt   snabbt
>   fysiskt   hemskt   vackert

1 I början när man tränar måste man springa _____. Men när det

är tävling måste man springa så _____ som möjligt.

2 Jag jobbar mycket _____ så jag kan inte träna på samma tider

varje vecka.

3 Det är både _____ och _____ jobbigt att springa ett

maraton.

4 På semestern hade vi tur med vädret. Det var _____ vackert.

Men vattnet var _____ kallt. Bara 14 grader.

5 Olof sprang _____ på Lidingöloppet. Han kom i mål efter

10 timmar.

6 Nina sjunger så _____ att man börjar gråta.

4

RIVSTART B1 + B2 Övningsbok

KOPIERING AV DETTA ENGÅNGSMATERIAL ÄR FÖRBJUDEN ENLIGT LAG OCH GÄLLANDE AVTAL

7 Peter skriver väldigt _____. Man kan inte läsa vad det står.

8 Maria sprang _____ långt i går, 3 mil. Hon brukar bara

springa 5 kilometer.

B Skriv 5–10 meningar med adverben från övning A. ✏️

2 Adjektiv efter några verb

> Peter är snabb.
> Maria och Sofia blev glada efter loppet.
> Ola ser rolig ut i sportkläder.
> Vasaloppet verkar svårt.
> Många känner sig psykiskt trötta efter ett maraton.
> Det var jobbigt men roligt.

Efter verben 'vara', 'bli', 'känna sig', 'se … ut' och 'verka' kommer adjektiv.

A Skriv adjektiven inom parentes i rätt form.

1 Charlotte och hennes kompisar pluggade hårt inför provet. De kände

sig _____ innan men det var _____ efteråt.
    (nervös)   (skön)

2 Maria fick en ny träningscykel och en cykelhjälm i födelsedagspresent. Hon blev

_____ för båda två. De var så _____. Det är
  (glad)   (fin)

_____ med födelsedag, tänkte hon.
  (rolig)

3 Olof och Berit såg mycket _____ ut när de skulle hoppa fallskärm.
                       (rädd)

Det verkade _____. Men det var _____.
           (farlig)   (rolig)

4 Vasaloppet var _____ i början, tycker Eva. Men det blev
            (enkel)

_____ efter kilometer när de skulle åka uppför. När de kom
  (tung)

i mål var de _____ att det var _____.
         (glad)   (färdig)

B Skriv 5–10 meningar med verben *vara, bli, känna sig, se ... ut, verka* + adjektiv. ✎

Exempel:

> *Jag är glad för jag ska åka på skidsemester.*

3 Adjektiv + t: special

Det är (nyttigt) att springa.	"Det är" + adjektiv + t.

Att springa är (nyttigt.) Att han springer är (nyttigt.)	Att + infinitiv + adjektiv + t Att + bisats + adjektiv + t

Sill är (gott.) JÄMFÖR: Den här sillen är (god.) Simning är (stort) i Sverige.	Om vi beskriver något generellt använder vi också adjektiv + t. Om vi beskriver något specifikt böjer vi adjektivet efter substantivet.

Skriv adjektiven inom parentes i rätt form.

1 Att åka skidor är _____, tycker Eva. Hon blir _____ och
  (härlig)   (pigg)

  _____ efter träningen.
  (glad)

2 Linas pappa bor inte i Sverige. Att de inte träffas så ofta är _____,
                                                                    (tråkig)

  tycker hon. Hon tycker att det är _____ när han ringer i alla fall.
                                     (rolig)

3 Patrik älskar god mat, speciellt fisk och skaldjur. Lax är _____,
                                                             (god)

  tycker han. Men i går åt han en lax som inte var så _____. Den
                                                        (färsk)

  var inte _____.
           (god)

4 På fritiden brukar Urban läsa och spela dataspel. Att sporta tycker han inte är

  _____. Att han bara sitter inne, tycker hans mamma är
  (rolig)

_____. – Gå ut och ta en promenad, säger hans mamma.
    (dålig)

– Nej, jag blir så _____ då, svarar han.
                    (svettig)

4 Tidsprepositioner

Peter tränar en gång om dagen.
Vi tränade 2 gånger i veckan.

Hur ofta?
om dagen, om året, om dygnet
annars *i* t ex i veckan, i timmen

Jag springer i skogen i två timmar varje vecka.
Jag har bott i Sverige --- tre år.

Hur länge?
i eller ingen preposition

Hon sprang Stockholm maraton på 5 timmar.

Hur snabbt?
på

A Skriv rätt preposition.

1 Marianne tränar tre gånger _____ veckan. Varje gång tränar hon
                                     1

   _____ två timmar ungefär. Hon springer snabbt, 5 kilometer
        2

   _____ 15 minuter.
        3

2 Bengt lyssnar på sportnyheter flera gånger _____ dagen. I dag talar de
                                                  1

   om en man som har sprungit 100 meter _____ 9 sekunder.
                                            2

3 Örjan har tränat karate _____ 5 år. Han tränar 4 gånger _____
                              1   2

   veckan.

4 Eva rider. Hon rider två gånger _____ veckan på en ridskola.
                                       1

   Några gånger _____ månaden rider hon en kompis häst. Minst två gånger
                    2

   _____ året åker hon på ridresa till något exotiskt ställe.
        3

B Skriv 5 egna meningar med tidsprepositionerna *i, om* och *på*. 🖊

KAPITEL 1

5 Ordbildning

> Cykling är en populär sport.
> Många cyklar till jobbet.

Många substantiv på ning har ett motsvarande verb, ofta grupp 1.

Skriv substantiv eller verb.

SUBSTANTIV	VERB
_____	löpa (grupp 2b)
joggning	_____
_____	rida (grupp 4)
vindsurfning	_____
simning	_____
_____	fäktas

6 Ord: sport och fritid

> – Vad gör ni på fritiden?
> – Jag åker slalom.
> – Jag spelar fotboll.
> – Jag tränar/håller på med/går på pilates.
> – Vad gör era barn på fritiden?
> – De leker tjuv och polis.

åka (2b) – spela (1) – tränar (1)/hålla (4) på med/gå (4) – leka (2b).
Vi använder olika verb för olika sporter.
Åker använder vi när vi "åker på något" t ex skidor.
Spelar använder vi med bollsporter (också för spel t ex poker och instrument).
Annars använder vi *tränar* eller *håller på* med eller *går på*.
Barn leker.

A Skriv rätt form av verben.

IMPERATIV	INFINITIV	PRESENS	PRETERITUM	SUPINUM
spela	_____	_____	_____	_____
träna	_____	_____	_____	_____
åk	_____	_____	_____	_____
lek	_____	_____	_____	_____
håll	_____	_____	_höll_____	_____
gå	_____	_____	_____	_____

Välj verb ur uppställningen här ovanför och skriv dem i rätt form där de passar in.

1 – Vad gör du på fritiden?

– Jag har många intressen. Jag _____ fotboll och

_____ karate. På vintern _____ jag

skridskor. Jag _____ piano också. Och så ofta jag kan

_____ jag med mina barn.

2 – Vad höll du på med för sporter när du var ung?

– Jag vare jätteduktig på slalom. Jag _____ skidor

nästan varje helg. Jag gillade att _____ basket också.

Och jag _____ badminton en gång i veckan med min pappa.

Han _____ mycket golf. Själv har jag aldrig

_____ golf. Det verkar så tråkigt.

3 – Vilka sporter är bäst om du vill gå ner i vikt?

– Om du vill gå ner i vikt bör du _____ på spinning.

Att _____ på gympa är också bra. Men du bör inte

_____ styrketräning.

7 Ordbildning: egenskaper

A Skriv substantivet till varje adjektiv.

1 tålmodig _____

2 stark _____

3 envis _____

4 fantasifull _____

5 snabb _____

6 taktisk _____

7 uthållig _____

B Kombinera. Dra streck.

1 Den som ska springa 100 meter måste vara

2 En konstnär behöver mycket

3 En maratonlöpare måste vara

4 En person som kan vänta är

5 En viktig egenskap när man ska springa maraton är

6 För att fiska behöver man

7 Orientering är en

8 Små barn är ofta

9 Vinnaren har ofta

a uthållig.

b bäst taktik.

c fantasi.

d mycket fantasifulla.

e mycket tålamod.

f snabb i benen.

g taktisk sport.

h tålmodig.

i uthållighet.

8 Repetition: alla former av substantivet

Se minigrammatiken i textboken på s 233 för regler för pluralbildning.

Skriv alla former av substantivet.

	SINGULAR OBESTÄMD	SINGULAR BESTÄMD FORM	PLURAL OBESTÄMD FORM	PLURAL BESTÄMD FORM
GRUPP 1	en kyrka			
	en inkomstkälla			
GRUPP 2	en förening			
	en befolkning			
	en betalning			
	en tävling			
	en å			
GRUPP 3	en student			
	en person			
	en kommun			
	en sport			
	en stat			
	ett lotteri			
	ett land			
	en bonde			
	en stad			
GRUPP 4	ett arbete			
	ett knä			
GRUPP 5	ett behov			
	ett spel			
	ett gym			

9 Partikelverb

> ta på sig komma ut
> skyndar på skära ner
> tycka om stressa ner
> gå ner göra av med
> gå upp byta om

> Partikelverb är verb med en partikel. Partikeln har betoning.
> Partikeln ger ofta verbet en ny betydelse.
> Partikelverbet kan vara reflexivt som *ta på sig* eller
> ha en preposition också som *göra av med*.

A Välj partikelverb ur rutan och skriv dem i rätt tempus där de passar in.

1 Det är svårt att _____ i vikt om man väger för mycket.
   $_1$

   Man kan försöka _____ på fettet i maten och röra på sig mer,
   $_2$

   men många _____ i vikt igen efter bantningen, tyvärr.
   $_3$

2 En dag i simhallen hände något pinsamt. Jag gick in i omklädningsrummet

   för att _____. När jag _____ till bassängen,
   $_4$ $_5$

   tittade alla så konstigt på mig. Jag hade glömt att _____
   $_6$

   mig badbyxorna!

3 Olof tycker att hans barn är jobbiga. På morgonen är de så långsamma.

   Han säger: _____, men de lyssnar inte. Ingen _____
   $_7$ $_8$

   att han skriker. De säger: _____, farsan!
   $_9$

B Skriv meningar med partikelverben från övning A.

2 1 Ord: motsatser

A Skriv motsatsen till adjektiven och substantiven.

Exempel:

fattig _____rik_____

1	oärlig	_____	7	ointelligent _____
2	tråkig	_____	8	passiv _____
3	snål	_____	9	inåtvänd _____
4	opålitlig	_____	10	djurhatare _____
5	tystlåten	_____	11	köttätare _____
6	ful	_____		

B Förklara orden i övning A med egna meningar.

Exempel:

En person som är fattig har inga pengar.

2 Pronomen: personliga och reflexiva

SUBJEKT	OBJEKT	REFLEXIVA
jag	mig/mej	mig
du	dig/dej	dig
han	honom	sig/sej
hon	henne	sig/sej
man	en	sig/sej
den	den	sig/sej
det	det	sig/sej
vi	oss	oss
ni	er	er
de/dom	dem/dom	sig/sej

Skriv rätt pronomen.

1 – Märta, jag älskar _____. Vill du gifta _____ med _____?

– Ja, gärna.

2 – Vi måste bestämma _____ nu. Ska vi köpa huset eller inte?

   – Jag tycker inte att vi ska flytta från vårt gamla hus. _____ är så fint!

3 – Jag pratade med Lars i går. Hans hund är sjuk.

   – Oj då. Jag måste ringa _____ och fråga om jag kan göra något.

4 – Vem skriver du till?

   – Till Lasse och Karin. Jag frågar _____ om de vill komma hit nästa helg.

   – Vad trevligt! Hoppas att deras barn också kommer.

5 – Hej, vi skulle vilja börja dansa. Har ni någon kurs i lindy hop?

   – Javisst. Ni kan anmäla _____ här eller på nätet.

   – Vad kostar kursen?

   – _____ kostar 1 350 kronor.

6 – Har du träffat Nina?

   – Ja, jag träffade _____ förra veckan. Hon berättade att hon ska

   skilja _____ från Peter.

7 – Tycker du att man känner _____ löjlig när andra skrattar åt _____?

   – Nja, _____ beror på.

3 Reflexiva verb

> För ett år sedan skilde han sig.
> Han rakar sig inte och kammar sig aldrig.

> Subjekt och objekt är samma "person".

Välj verb ur rutan och skriv dem i rätt form där de passar in.

skilja sig   gifta sig   känna sig   sätta sig

lata sig   försova sig   akta sig

raka sig   förbereda sig

               tvätta sig

ångra sig   kamma sig   koncentrera sig

bry sig   klippa sig   bestämma sig   anmäla sig

1 Gull-Britt har _____ för att börja studera japanska,

så hon har _____ till en nybörjarkurs i japanska.

Hon _____ mycket glad. Det ska bli roligt att plugga igen,

tycker hon.

2 Johan har frågat Maggan om hon vill _____ med honom.

Hon svarade ja först, men nu är hon inte så säker längre. Maggans mamma

har sagt att hon ska _____ för honom. Hon säger att Johan

är en riktig casanova, precis som Maggans pappa. De _____

när Maggan var tre år.

3 Oscar ligger i soffan och _____. Han borde jobba med

sitt projekt, men grannarna spelar så hög musik att han inte kan

_____. Nästa vecka ska han presentera projektet, så han

måste faktiskt börja _____ nu. Han _____

vid datorn och öppnar dokumentet. Pust!

4 Cecilia är trött på sitt långa hår. Hon går till frisören och _____.

Håret blir jättekort och Cecilia tycker att hon ser ut som en kille. Vad hemskt!

Hon _____ och vill ha tillbaka sitt långa hår, men det

går ju inte.

5 Martin är hopplös på morgnarna. Han hör inte väckarklockan, så ha

_____ igen. Det är tredje gången den här veckan:

Inte bra. Han hinner inte duscha, utan _____ bara snabbt

i ansiktet. Martin _____ mycket om hur han ser ut i håret.

Han _____ men han _____ inte i dag.

Killarna på jobbet tycker kanske att han är snygg när han är orakad.

KAPITEL 2

4 Ordföljd: huvudsats

> Jag har lånat ut pengar en massa gånger
> men jag får aldrig tillbaka dem.

Huvudsats

En huvudsats kan "stå själv".
Man kan binda ihop ord och satser av samma typ med
konjunktioner (och, men, eller, för, så …).
I huvudsats kommer satsadverbet <u>efter</u> första verbet.

ORDFÖLJD I HUVUDSATS

FUNDAMENT	VERB 1	SUBJEKT	SATS-ADVERB	VERB 2–4	VERB-PARTIKEL	KOMPLE-MENT	ADVERB Hur? Var? När?
Jag	har	---		lånat	ut	pengar	en massa gånger.
Jag	får	---	aldrig		tillbaka	dem.	
Om det inte hjälper	ska	du	kanske	prata			med polisen.
Efter det	har	hon		skickat		sms till mig.	
Ibland	ringer	hon					på nät-terna.

Sortera meningarna. Börja med orden i fet stil.

1 _____

för/honom/**Akta**/dig + för + inte/ärlig/**han**/dig/mot/är

2 _____

sig/har/**Min**/skilt/kollega + och + känner/mycket/sig/**nu**/han/ledsen

3 _____

mot/sina/**Man**/ärlig/vara/ska/vänner + och + brukar/säga/alltid/**därför**/
jag sanningen

4 _____

viktigare/än/kärlek/**Vänskap**/är + och + måste/henne/sluta/**därför**/du/träffa

5 _____

jag/ut/**För ett år sedan**/en/lånade/till/10 000 kronor/kompis + men + inte/har/
tillbaka/**jag**/pengarna/fått

5 Ordföljd: bisats

> Jag tycker att man alltid ska vara ärlig mot sina vänner.
> Om det inte hjälper ska du kanske prata med polisen.

Bisats

En bisats kan inte "stå själv". Den är en del av hela meningen.
En bisats börjar med: en subjunktion (att, om, därför att …),
ett relativt pronomen eller adverb (som, där …) eller ett frågeord (hur, varför …).
I bisats kommer satsadverbet <u>före</u> första verbet.

ORDFÖLJD I BISATS

BISATS-INLEDARE	SUBJEKT	SATS-ADVERB	VERB 1	VERB 2–4	VERB-PARTIKEL	KOMPLE-MENT	ADVERB (Hur? Var? När?)
… att	man	alltid	ska	vara		ärlig.	
Om	det	inte	hjälper…				
När	vi		var				ute förra veckan …

A Läs texten och stryk under alla bisatser.

Nu ska jag berätta om en person som jag tycker mycket om. Hon heter
Gullan och hon är min bästa vän. Gullan är mycket hjälpsam. Om jag
behöver hjälp med något kan jag alltid ringa henne. Eftersom jag ofta gör
dumma saker måste jag tyvärr ringa henne flera gånger i veckan. Varje gång
frågar jag om hon har tid att prata en stund. Hon säger alltid att jag kan
ringa henne när jag vill, även om det är mitt i natten! Hon är fantastisk!
Hon är en mycket klok person också. När jag har problem frågar jag henne

om råd. Förra veckan skulle jag gå på en jobbintervju och jag visste inte hur jag skulle klä mig. Då gick vi två ut på stan tillsammans och handlade kläder. Tyvärr fick jag inte jobbet, men det var inte Gullans fel.

B Skriv klart meningarna med bisatser. Använd din fantasi. 🖊

Exempel:

Det är viktigt att | en vän alltid talar sanning

1 Man kan ringa en vän om …
2 Det är bäst att fråga om …
3 Det är roligt när …
4 Man måste förbereda sig innan …
5 Vet du varför …?
6 Säg till din partner att …
7 Lisa har en kollega som …
8 Peter känner sig lite trött eftersom …
9 Jag tycker att …
10 Vet du hur …?

6 Ordkunskap

Välj ord ur rutan och skriv in dem i rätt form där de passar in.

likna	en klassresa	(ett) självförtroende	handla
en hel del	(en) allmän rösträtt	berömma	(en) konkurrens
en svårighet	umgås	(en) avundsjuka	klaga
bosätta sig	ett bevis	en förändring	en utställning

1 Lukas tror inte han kan någonting. Han har så dåligt _____.

2 Katti och Peo _____ ofta med sina grannar. De brukar träffas och

äta middagar tillsammans.

3 Många som emigrerade från Sverige _____ i Amerika.

4 Ska vi gå till Moderna museet? De har en Picasso-_____ där just nu.

5 Sverige fick _____ för män 1909 och för kvinnor 1921.

6 Du borde läsa den här intressanta boken som _____ om Emma Zorn.

7 Hon var mycket fattig, men gifte sig med en rik man från överklassen. Det kan

man kalla en _____!

8 Anna och hennes syster _____ varandra. Båda är blonda och långa.

9 När man flyttar till ett nytt land är språket ofta en _____. Det

brukar ta lång tid att lära sig prata det nya språket bra.

10 Robert vill vara bättre än sin bror i allt. Det har alltid varit hård _____

_____ mellan dem.

11 Lars har aldrig pengar och han _____ ofta över sin dåliga ekonomi.

12 Den här ringen är ett _____ på min kärlek till dig.

13 När hunden har gjort något bra, måste du _____ honom.

14 Min granne har byggt en jättefin pool. Jag vill också ha en!

Jag måste försöka att inte visa min _____.

15 Pepa pratar inte svenska så bra, men hon förstår _____.

16 Att flytta till ett nytt land och en kultur är en stor _____ i livet.

Till sist

7 Verb

A Skriv presens, preteritum och supinum av verben i rutan.

vara	bli	fortsätta
ha	försova (sig)	måste
förlåta	vinna	sätta (sig)
hålla	säga	skriva
göra	få	komma
skilja (sig)	ta	ligga
ska	ge	bära

B Skriv ett eget exempel med verben från övning A eller skriv en liten
historia där verben ingår.

Exempel:

är – var – varit

Jag har varit i Paris många gånger.

8 Preposition och verbpartikel

Skriv rätt preposition eller verbpartikel.

1 Min kompis och jag har känt varandra _____ mer än tjugo år.

2 _____ ett år _____ skilde han sig.

3 Ska jag säga _____ honom att han borde tvätta sig?

4 Jag har lånat _____ pengar _____ min kompis.

5 Min kompis är hopplös _____ pengar.

6 Jag har blivit kär _____ min bästa väns flickvän!

7 Jag är säker _____ att hon älskar mig också.

8 Ibland ringer hon _____ nätterna.

9 Jag vet att han vill gifta sig _____ henne.

10 Jag tänker _____ henne hela tiden.

11 Jag kan inte somna _____ kvällarna och försover mig ofta

_____ morgnarna.

12 Om ni älskar varandra måste ni berätta det _____ din vän.

13 Har du gott _____ pengar?

14 Jag har bestämt mig _____ att ge dig pengarna.

15 Din vän går _____ en kris _____ skilsmässan.

16 Bry dig inte _____ att han luktar.

17 Jag tycker att man alltid ska vara ärlig _____ sina vänner.

3 ☐1☐ Konjunktioner

> Jag vill ha både pengar och status.
> Jag arbetar inte, utan är hemmafru.
> Jag ska antingen köpa eller hyra lägenhet.
> Varken jag eller min man tjänar mycket pengar.
> Jag är arbetslös så jag måste söka jobb.
> Jag söker jobb för jag är arbetslös.

A Skriv rätt konjunktion.

1 – Jag och min man har inte mycket pengar _____ vi är arbetslösa. Men vi

har båda sökt många jobb _____ jag hoppas att vi får jobb snart.

2 – Vi har helt okej ekonomi i min familj. _____ min partner _____

jag tjänar ganska mycket. Vi funderar på att åka långt bort på semestern, men vi vet

inte vart. _____ åker vi till Chile _____ till Antarktis. Vi får se.

3 – Mina barn får inte veckopeng, _____ vi gör roliga saker tillsammans

istället. Vi brukar t ex gå på bio. Efter bion går vi på snabbmatsrestaurang. Då får

de _____ hamburgare _____ glass.

4 – Jag är pensionär med låg pension _____ jag måste spara hela tiden. Jag

har _____ råd med god mat _____ dyra viner. Tyvärr. Men jag blir

inte ledsen, _____ försöker vara glad för de små sakerna i livet.

B Komplettera fraserna. ✎

Exempel:
Mina pengar är slut så ...

> jag kan inte gå ut i kväll.

1 Min veckopeng är slut …
2 Jag ska be chefen om högre lön för…
3 Jag har inte bestämt mig antingen …
4 Jag skulle vilja åka på semester men jag har …
5 Jag brukar inte spara pengar utan…
6 Jag kan inte välja. Jag vill både…

C Skriv 2 meningar med varje konjunktion. ✎

2 Sammansatta ord

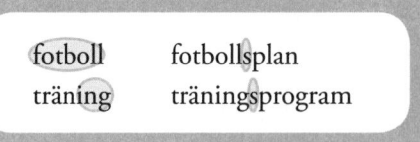

fotboll   fotbollsplan
träning   träningsprogram

> Sammansatta ord är ord som består av två eller flera ord. Om första
> ordet i ett sammansatt ord är en sammansättning har man s mellan
> orden. Om första ordet slutar på -ing har man också 's' mellan orden.
> Ibland har man 's' mellan vissa andra ord också t ex 'arbete' som blir
> 'arbets'- i sammansättningar.
> Läs mer om sammansatta ord i uttalsdelen i textboken på s 214.

A   Titta på orden i rutan. Ringa in de ord du kan.
    Slå upp de ord du inte kan i ordbok.

a-kassan	lån	skatt
arbetsförmedlingen	lön	socialbidrag
arbetslös	pension	vabba
facket	ränta	veckopeng
försäkringskassan	sjukskriven	

B   Välj ord ur rutan och skriv dem i rätt form där de passar in.

I Sverige arbetar en majoritet av befolkningen. En del söker jobb men har

inte hittat något. De är _____ och får pengar från _____.
                                  1   2

På _____ kan man få hjälp att hitta ett nytt jobb. Om man inte kan jobba
       3

för att man är sjuk är man _____. Då får man pengar från _____.
                                    4   5

Man kan också få pengar för att vara hemma med sjuka barn. Det kallas vård av barn

eller att man _____. Den som inte klarar sin ekonomi kan få
                        6

_____. När man är 65 går man ofta i _____. Om man arbetar får
    7   8

man _____ varje månad. Från den drar kommunen och staten
           9

_____. Ju mer man tjänar, desto större del betalar man.
    10

Den som arbetar kan gå med i _____ som kan hjälpa till med frågor om
11
lön och anställning eller om man är i konflikt med arbetsgivaren.

Om man har köpt ett hus har man ofta _____ på banken. Varje
12
månad måste man betala _____ och ofta amortering dvs avbetalning.
13
Många barn får pengar från sina föräldrar varje vecka för att köpa godis och annat.

Det kallas _____.
14

C Gör sammansatta ord av orden i spalterna. ✎

sjuk	förmedlingen
försäkring	givare
företags	miljö
fritid	tid
barn	lön
arbete	skriven
	sköterska
	vakt
	intresse
	ledare
	kassan

3 Konjunktioner: 'ju ... desto'

Ju mer du jobbar desto mer tjänar du.
Ju oftare du tränar desto starkare blir du.

'Ju' + adjektiv komparativ + bisats
'desto' + adjektiv i komparativ + huvudsats

A Kombinera meningarna och dra streck.

1 Ju mer jag studerar   a desto gladare blir jag.
2 Ju mer sällan jag äter   b desto klokare blir jag.
3 Ju oftare jag träffar mina vänner   c desto smalare blir jag.
4 Ju äldre jag blir   d desto bättre blir jag.

B Komplettera meningarna. ✏

1 Ju rikare man blir …
2 Ju mer vi tjänar …
3 Ju mer vi är tillsammans …
4 Ju varmare klimatet blir …
5 Ju fler grejer vi har …

C Skriv 3–5 egna meningar med *ju … desto*. ✏

4 | Verb: alla former

A Skriv formerna som saknas och vilken grupp verben tillhör.

GRUPP	IMPERATIV	INFINITIV	PRESENS	PRETERITUM	SUPINUM
1 ____	betala	_____	_____	_____	_____
2 ____	låna	_____	_____	_____	_____
3 ____	köp	_____	_____	_____	_____
4 ____	---	_____	klarar sig	_____	_____
5 ____	_____	_____	_____	_____	haft råd
6 ____	_____	_____	_____	tjänade	_____
7 ____	förhandla	_____	_____	_____	_____
8 ____	_____	_____	_____	_____	höjt
9 ____	---	_____	räcker	_____	_____
10 ____	_____	_____	_____	hyrde	_____
11 ____	_____	_____	_____	gav	_____

B Välj verb ur uppställningen här ovanför och skriv dem i rätt form där de passar in.

Låna pengar

Vi lever i ett konsumtionssamhälle. Vi vill hela tiden _____ fler
₁

och fler saker. Men vad gör man om man inte _____ tillräckligt
₂

mycket pengar för att konsumera? Vad gör man om man inte _____
₃

att köpa en ny teve? Många sparar pengar och köper senare. Andra väljer att

_____ på banken eller ett låneinstitut. Ekonomerna säger att
  4

det är en dålig affär eftersom räntan ofta är hög.

Svår ekonomi för studenter

Studenter har svårt att _____ ekonomiskt.
  1

Ofta _____ de ett studentrum som är ganska dyrt. De måste
  2

_____ för böcker och mat också. Pengarna _____
  3   4

inte till mycket mer. Därför jobbar många extra.

Högre lön?

Den som har låg lön kan försöka _____ med chefen för att
  1

_____ sin lön. En undersökning visar att en förhandling ofta
  2

_____ 5–10 procents löneökning.
  3

C Skriv en egen text om pengar med så många som möjligt av verben
   från meningarna från övning B.

5 Mycket, lite eller lagom? Välj ord ur rutan och skriv dem där de passar in.

drygt	pyttelite	lagom	tillräckligt
för mycket	knappt	precis	ungefär

Jag tjänar _____ 20 000 i månaden, 19 800. Efter skatt blir det
  1

_____ 13 068 kronor. Det är inte _____ för mig. Jag skulle
  2   3

behöva några tusen till. En kompis har _____ 60 000 i månadslön,
  4

63 000 tror jag. Det tycker jag nästan är _____ Ingen behöver så mycket
  5

pengar. Jag tycker 30 000 är en _____ lön. Då har man råd med det man
  6

behöver. En kompis till mig tjänar bara 14 000. Efter skatt blir det bara

_____ 10 000. Det är _____. Det räcker nästan inte till
  7   8

någonting.

6 Adjektiv + substantiv

	ADJEKTIV	SUBSTANTIV
	OBESTÄMD	OBESTÄMD
1 en/någon/ingen/vilken/annan	praktisk	grej
ett/något/inget/vilket/annat	praktiskt	hus
många/några/inga/vilka/andra	praktiska	grejer/hus =
	BESTÄMD +	**BESTÄMD**
2 den		grejen
det (här/där)	praktiska	huset
de		grejerna husen
	BESTÄMD +	**OBESTÄMD**
3 min/denna		
kungens/samma/nästa/följande		grej
mitt/detta		
kungens/samma/nästa/följande	praktiska	hus
mina/dessa		
kungens/samma/nästa/följande		grejer/hus =
	OBÖJLIGA: lagom, extra	

A Läs texten här nedanför och stryk under alla fraser adjektiv + substantiv.

Elins snälla farmor, Margit, var mycket rik. Hon bodde i ett stort hus. Det lyxiga huset låg i en vacker trädgård. Margits fantastiska trädgård var full av många stora rosbuskar och vackra fontäner. Där fanns också några afrikanska flamingofåglar.

En dag besökte Elin sin gamla farmor. De gick runt i trädgården och Elin pekade på några röda rosor och frågade:
– Vad heter de där underbara rosorna?
– De heter Ingrid Bergman. De är döpta efter den stora svenska skådespelerskan.
– Har du några vita rosor också? frågade Elin.
– De vita rosorna finns i en annan stor rabatt på baksidan av huset, svarade Margit.

De gick runt i flera timmar och tittade på alla de fina blommorna som växte i Margits trädgård.

Efteråt drack de några färgglada paraplydrinkar på den stora terrassen.

B Till vilken grupp i tabellen här ovanför hör fraserna i texten?

C Kombinera orden ur varje grupp och gör fraser. ✎

Exempel:

en hemsk hund

någon

> någon hemsk hund

denna

> denna hemska hund

den

> den hemska hunden

dina

> dina hemska hundar

1 en fantastisk teaterföreställning

den …
Olofs …
Vilken …!
andra

3 en långsam person

samma …
den …
denna …
en annan …

2 ett snyggt hus

detta …
inget …
det där …
mitt …

4 ett piggt barn

mitt …
många …
inga …
inget …

D Skriv orden inom parentes i rätt form.

1 Det finns många _____ och _____ att blir rik på.
            (laglig)   (olaglig/en metod)

Den _____ är nog att ärva pengar. Vill man ha _____
      (bäst/en metod)   (snabb/en peng)

kan man råna en bank.

2 En studie visar att _____ inte blir sjuka så ofta som
                        (rik människa)

_____. Varför? Den _____ är att en rik person äter
    (fattig person)   (tråkig/en sanning)

bättre och går oftare till läkaren för att kontrollera sin hälsa.

3 Ett _____ och _____ är inte heller bra för hälsan.
        (tung)   (tråkig/ett jobb)

_____ gör att man får ont i ryggen eller armarna.
    (obekväm/
    en arbetsställning)

4 Min _____ har ett _____. Han skulle kunna tjäna
       (rik/en kompis)   (moralisk/ett problem)

_____ på att göra _____ men _____.
   (snabb/en peng)   (laglig)   (omoralisk/en sak)

Vad ska han göra?

E Skriv adjektiven i rätt form.

1 (snygg)   Vilka _____ bilar!
                            1

                  Vilken _____ bil!
                            2

                  Vilket _____ hus!
                            3

2 (pigg)   Vilket _____ barn!
                            1

                  Vilka _____ barn!
                            2

                  Vilka _____ hundar!
                            3

3 (praktisk)   Vilken _____ apparat!
                            1

                  Vilka _____ apparater!
                            2

                  Vilken _____ grej.
                            3

4 (hemsk)   Vilket _____ hus!
                            1

                  Vilka _____ historier!
                            2

                  Vilken _____ dag!
                            3

5 (snabb)   Vilken _____ bil!
                            1

                  Vilket _____ möte!
                            2

                  Vilka _____ servitörer!
                            3

Till sist

7 Partikelverb

A Välj partikelverb ur rutan och skriv dem där de passar in.

sätta in	gå upp	ta ut
gå med i	sätta på	hitta på
hänga med		

Berit är pensionär. När hon _____ på morgonen brukar hon tänka:

1

Vad ska jag _____ i dag? Gå till simhallen eller ta en promenad?

2

Jag börjar med att _____ kaffe. Sedan får vi se.

3

Hennes väninna Eva ringer.

– Hej Berit! Ska du _____ på en gallerirunda?

4

– Ja, vad trevligt! svarar Berit.

De träffas utanför banken för Berit ska _____ pengar från

5

bankomaten och Eva ska _____ pengar på sitt barnbarns bankkonto.

6

Hennes barnbarn fyller år nästa vecka och ska få en slant i födelsedagspresent.

B Använd partikelverben från övning A igen och skriv dem i rätt form
där de passar in. En del verb ska du använda flera gånger.

När Berit var ung arbetade hon på en strumpfabrik utanför Lund. Den

kallades Strumpan. Hon var missnöjd med lönen och arbetet. Hon kände

att hon måste _____ något. Hon talade med en arbetskamrat

1

som var fackmedlem. Kollegan frågade om hon inte skulle _____

2

på ett fackmöte. Berit _____ på mötet och _____

3 4

i facket direkt. Nästa dag gjorde hon något stort. Hon _____

5

till chefen och sa att hon skulle ha högre lön. Chefen sa ja. Hon _____

6

en del av sin nya lön på ett sparkonto. Hon _____ pengarna

7

bara när hon hade kris i ekonomin.

8 Ord: egenskaper

A Kombinera motsatser. Dra streck.

1	förstående	a	är dålig på
2	har fantasi	b	slarvig
3	har tålamod	c	gillar inte
4	noggrann	d	är fantasilös
5	stark	e	svag
6	tycker om	f	oförstående
7	är bra på	g	är otålig

B Skriv en text om dig själv eller någon annan och använd så många av motsatsorden som möjligt från övning A.

4 | **1** | **Adjektiv**

Lös korsordet. Orden finns i textboken.

VÅGRÄTT →

1 En person som man kan lita på och som man kan berätta hemligheter för är …
3 När man klarar sig själv och inte behöver någon annan är man …
8 Motsatsen till tråkig är …
9 Ett ord för liten och söt …
11 Hon är lång och slank och hon har fantastiska ögon. Hon är verkligen …
13 Lill-Pelle är så … I går hällde han socker i saltkaret och nu har han gömt alla våra skor.
   Vilken unge!
14 Catrin har alltid roliga idéer och kommer på kul saker vi kan göra. Hon är så …

LODRÄTT ↓

2 Olof sa ingenting under middagen. Han satt helt …
4 Usch, nu tappade jag ett fint glas i golvet. Jag är så …!
5 Lisa var så … när hon gick på Nobelfesten. Hennes klänning var fantastisk.
6 Alla vill väl träna sin hund så att den blir riktigt …
7 Han är inte så smart. Faktum är att han är ganska …
10 Kattis tycker inte om att träffa folk. Hon är så …
12 Trots att vår hund är 14 år är han mycket pigg och … Han älskar att springa efter bollar.

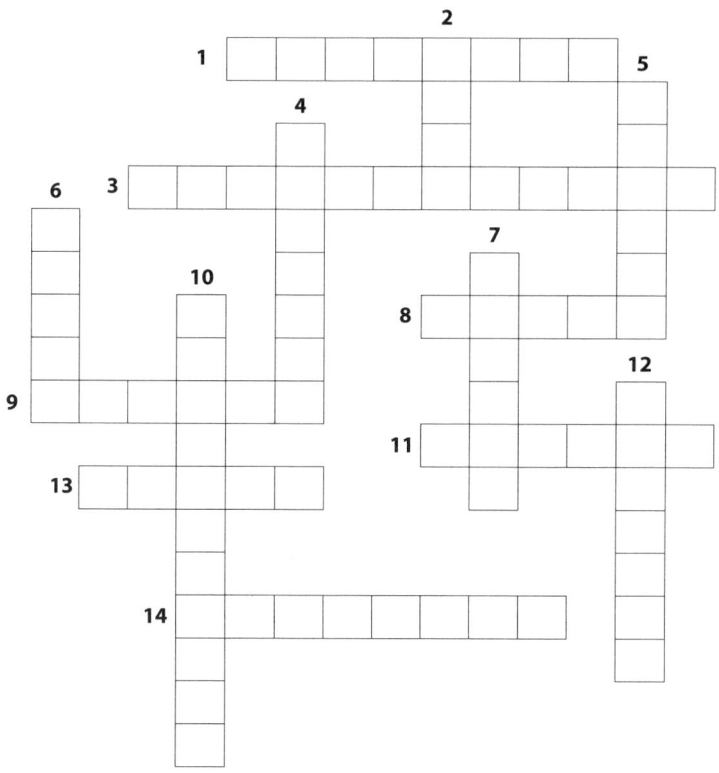

2 Verb: alla grupper

VERBGRUPP	IMPERATIV	INFINITIV	PRESENS	PRETERITUM	SUPINUM
1	prata!	prata	pratar	pratade	pratat
2a	ring!	ringa	ringer	ringde	ringt
2b	köp!	köpa	köper	köpte	köpt
3	bo!	bo	bor	bodde	bott
4 it-verb	skriv!	skriva	skriver	skrev	skrivit
4 oregelbundna	säg!	säga	säger	sa(de)	sagt

A Vilken verbgrupp tillhör verben i rutan här nedanför? Vilken form står de i?

spolat	tog	gå!	ridit	skaffar	trodde	rösta!
längtade	stirra!	var	kunnat	får	velat	lekte
tänk!	klappat	tjatar	blivit	förstod	hjälp!	

B Skriv verbformerna och vilken verbgrupp de tillhör. ✏️

Exempel:

IMPERATIV	INFINITIV	PRESENS	PRETERITUM	SUPINUM
(1) spola	spola	spolar	spolade	spolat

3 Uttryck med djur

Vilka uttryck med djur passar i meningarna?

1 Du kan fråga Annika om vad som helst.
   Hon har läst allt och är __klok som en uggla._____.

2 Jag har inte ätit på hela dagen. Jag är _____.

3 Du kan inte övertala Niklas att ändra sig.
   Han är _____.

4 Behöver du hjälp att flytta kylskåpet? Fråga Håkan. Han tränar på gym
   varje dag och är _____.

5 Prata inte med mig just nu! Jag har tappat nycklarna och fått parkeringsböter.
   Jag är _____!

6 Hannah är bara 10 år och springer 60 meter på 10 blankt.
   Hon är _____.

7 I dag har jag städat hela huset, sorterat ett ton papper och tvättat bilen.
   Jag känner mig _____.

4 Ord

Välj ord ur rutan och skriv dem i rätt form där de passar in

```
bota           andas          svida          vaccinera sig
göra ont       överföra       svullna upp
```

– Doktorn, det _____ här på benet. Precis där hade jag en fästing.

1

Det _____ när jag tog bort den och det har blivit alldeles rött.

2

Nu är jag mycket orolig, som du förstår. Jag har hört att fästingar kan

_____ farliga sjukdomar som borrelia. Man kan väl inte

3

_____ mot den sjukdomen? Kan man _____

4   5

den eller kommer jag att dö?

– Du kan vara helt lugn. Jag ska lyssna på lungorna först. Var snäll och

_____ in. Och ut. Jag ska tvätta benet med lite sprit. Det kan

6

_____ lite.

7

5 Verb: presens particip

Stickande och bitande djur (adjektiv)
Gå sjungande eller pratande därifrån ... (adverb)
De boende i skärgården ... (substantiv)
Fästingen orsakar mycket lidande. (substantiv)

Presens particip är en verbform som fungerar som adjektiv, adverb substantiv. Som adverb kommer presens particip oftast efter verb som: komma, gå, springa, sitta, ligga.

IMPERATIV	PRESENS PARTICIP
prata!	pratande
stick!	stickande
bit!	bitande
bo!	boende

Imperativ som slutar på -a: + -nde.
Imperativ som slutar på konsonant: + -ande.
Imperativ som slutar på vokal: + -ende.

Välj verb ur rutan och skriv dem i presens particip där de passar in.

> sova växa värka bo trösta drömma stirra längta dö

1 Jag är rädd för det där _____ djuret. Jag tycker inte om dess ögon.

2 _____ barn behöver mycket mat.

3 Den hungriga hunden tittade på bullarna med _____ blick.

4 Sara lysnade inte på vad läraren sa. Hon satt och tittade _____ ut
   genom fönstret.

5 Jag skulle vilja ha hjälp med mitt _____ ben.

6 Han är en riktig hypokondriker. Han tror alltid att han är _____
   i någon allvarlig sjukdom.

7 Man ska inte väcka en _____ björn.

8 De _____ i området vill ha en trädgårdsfest.

9 Jag känner mig så ledsen. Kan du inte säga några _____ ord till mig?

6 Adverb: sambandsord

Huggormar biter sällan människor. Ormarna är nämligen skygga och brukar ringla undan när en människa närmar sig.

Ett huggormsbett kan dock vara mycket farligt om man blir biten direkt i en blodåder.

Många människor är rädda för huggormar och vågar (därför) inte gå ut och vandra på ställen där de vet att det finns huggormar.

Man kan (däremot) vaccinera sig mot virussjukdomen TBE, som fästingen också kan överföra till människor.

SAMBANDSORD

Sambandsord knyter ihop meningar och visar hur de hänger ihop. Sambandsorden kan exempelvis uttrycka kontrast ('dock', 'däremot') eller förklaring ('nämligen', 'därför'). 'Dock' används mest i skriftspråk.

OBS! Man börjar inte en mening med 'dock' eller 'nämligen'.

A Komplettera meningarna.
1 I dag kan jag inte hjälpa dig. **Däremot** ...
2 Jag är så trött i dag. **Därför** ...
3 Vi går ofta på restaurang. Vi kan **nämligen** inte ...
4 Priset på bostäder har hastigt stigit i år. Matpriserna har **dock** ...

B Skriv egna exempel med *däremot*, *därför*, *nämligen* och *dock*.

7 Ordkunskap

C Kombinera fraserna. Dra streck.

1 Om man dricker för mycket alkohol ...

2 Man blir rädd ...

3 En person som är 100% onormal ...

4 En berusad älg ...

5 När man går långsamt ...

6 Äpplen som ligger länge på marken ...

7 När man stoppar någon från att göra något ...

8 I stället för att säga att man har kontroll över något ...

a när någon **skrämmer** en.

b kan bli **jästa**.

c **lunkar** man.

d kan man säga att man **har koll på** något.

e kan man kalla en **fylleälg**.

f blir man **berusad**.

g kan man kalla **helt galen**.

h **hindrar** man den personen.

1 En **dräktig** älgko …

2 En **älgkalv** …

3 En **älgstam** …

4 **Sedan dess** …

5 Om man **ändrar** på något …

6 Han kommer **ursprungligen** från Chile.

a är barn till en älg.

b är ett annat uttryck för "efter det".

c är samma sak som en population av älgar.

d betyder att han kommer därifrån från början.

e har en älgbebis i magen.

f gör man det så att det blir på ett annat sätt.

1 De skickade en helikopter …

2 En person som är **ilsken** …

3 Att **gå med stavar** …

4 När man **stöter på** någon …

5 Den som är **sumobrottare**…

6 Bananer är inte raka, …

7 När man inte vill eller kan längre …

a brukar man **ge upp**.

b de är **böjda**.

c är mycket arg.

d för att **rädda** mannen som låg i vattnet.

e träffar man någon utan att ha planerat det.

f utövar en mycket gammal japansk sport.

g är en populär motionsform i Sverige.

1 Om du gör en **blandning** mellan svart och vitt …

2 Om du har en morot i handen …

3 När något blir mer eller större …

4 Den som **hellre** dricker te än kaffe …

5 När mycket **talar för** att man ska göra något …

a **ökar** det.

b finns det många orsaker till att man ska göra det.

c föredrar te.

d blir det grått.

e kan du **locka** hästen att komma till dig.

8 Partikelverb

A Välj partikelverb ur rutan och skriv dem i rätt form där de passar in.

gå förbi	växa upp	följa efter
ta hand om	ramla av	ge upp
släppa ut	ge sig iväg	gå ut med

1 Petra _____ på landet hos sin mormor och morfar. Hon
   1

älskade djur och brukade _____ allt från ensamma insekter
   2

till skadade fåglar. Hon kunde inte ens _____ en snigel
   3

utan att stanna och kolla att den mådde bra. Hon brukade _____
   4

grannens hund så ofta hon kunde också. När hon var mindre red hon

mycket, men hon _____ hästen en gång och efter det har
   5

hon varit lite rädd för hästar.

Nu är Petra djuraktivist. Hon tycker inte att man ska hålla djur

i fångenskap, utan hon vill _____ alla djur i naturen.
   6

2 I går när Lars gick hem märkte han att en hund _____
   1

honom. Lars stannade och sa till hunden att den skulle _____
   2

men hunden stod bara stilla och tittade på Lars. Hunden _____
   3

och försvann efter en stund i alla fall.

B Skriv en egen liten text där partikelverben från övning A ingår. ✏️

9 C-test

Läs texten och fyll i bokstäverna som saknas.

Exempel:

Han he_ter_ Björn o_ch_ bor p_å_ Kungsgatan.

Förvirrad älg orsakade trafikproblem

En älg som av misstag hade kommit upp på motorväg E4 ställde till problem under

förmiddagen. Älgen spr_____ fram o_____ tillbaka
                          1   2

p_____ motorvägen o_____ flera bi_____ var
        3   5   6

nä_____ att kro_____ med d_____. Polis
        7   8   9

p_____ platsen ku_____ inte stän_____ av
        10   11   12

mot_____ utan förs_____ flytta traf_____.
        13   14   15

Strax ef_____ elva ku_____ i al_____ fall
            16   17   18

e_____ jägare skj_____ älgen so_____ var mycket
        19   20   21

stressad och efter ett tag kunde trafiken köra normalt igen.

10 Ord: verb till substantiv

Bilda substantiv av verben ur rutan och skriv dem där de passar in.

> bita   orsaka   lukta   krocka   attackera   klättra   vaccinera

1 Björnar är mycket skickliga _____.

2 På E4:an skedde en trafikolycka i går. Det var en _____
   mellan två personbilar.

3 _____ mot TBE är slut för tillfället.

4 Vargar går mycket sällan till _____.

5 Björnar reser sig på bakbenen för att känna _____ bättre.

6 Det är rött runt orm-_____.

7 Det finns ingen _____ att bli rädd om du ser en varg
   på långt håll.

11 Verb: grupp 4 (it-verb och oregelbundna verb)

A Skriv imperativ, presens, preteritum och supinum av verben.

INFINITIV	IMPERATIV	PRESENS	PRETERITUM	SUPINUM
bita	_____	_____	_____	_____
bli	_____	_____	_____	_____
bryta	_____	_____	_____	_____
dö	_____	_____	_____	_____
finnas	– –	_____	_____	_____
få	– –	_____	_____	_____
föredra	– –	_____	_____	_____
förstå	_____	_____	_____	_____
ge	_____	_____	_____	_____
gå	_____	_____	_____	_____
göra	_____	_____	_____	_____
ha	_____	_____	_____	_____
hinna	– –	_____	_____	_____
hålla	_____	_____	_____	_____
kunna	– –	_____	_____	_____
ligga	_____	_____	_____	_____
lägga	_____	_____	_____	_____
se	_____	_____	_____	_____
skjuta	_____	_____	_____	_____
sova	_____	_____	_____	_____
stå	_____	_____	_____	_____
säga	_____	_____	_____	_____
vara	_____	_____	_____	_____
vilja	– –	_____	_____	_____
äta	_____	_____	_____	_____

B Välj minst 10 av verben från övning A och skriv meningar med dem.
Eller skriv en historia som innehåller minst 10 av verben.

5

1 'Hemma hos' eller 'hem till'?

> Siri sa att vi självklart kan bo hemma hos henne.
> … kom hem till mig så ska jag berätta.

"Position": (hemma) hos + objektsform
"Destination": (hem) till + objektsform

A Skriv *hemma hos* eller *hem till*.

1 _____ oss har vi ingen teve.

2 Ska vi gå _____ Ann och titta på hennes nya hund?

3 I morgon ska vi äta _____ farmor och farfar.

4 Det är så mysigt _____ dig!

5 Pelles mobil är trasig. Ring _____ honom i stället.

B Skriv två egna exempel med *hemma hos* och två med *hem till*.

2 Prepositioner: 'hos', 'till' eller 'på'?

> Susanne är hos tandläkaren.
> Min cykel är stulen. Jag måste gå till polisen och anmäla det.
> I kväll ska vi gå på opera.

Position: vara <u>hos</u> person; polisen/frisören/doktorn/tandläkaren/Svenssons.
Destination: gå/ringa/åka … <u>till</u> polisen/frisören/doktorn/tandläkaren/ stan/Svenssons.
Aktivitet (fokus på aktiviteten och inte på transporten till specifik plats): gå <u>på</u> bio/teater/
opera/nattklubb/museum/krogen.

Hos, till eller *på*? Skriv rätt preposition.

1 I går när jag var _____ Frida frågade hon om jag ville gå
$\qquad$ 1

_____ konsert med henne. Det ville jag såklart. Sedan ringde vi
$\qquad$ 2

_____ Elsa och frågade om hon också ville följa med. Hon var
3

_____ frisören när vi ringde.
4

2 På söndagar brukar Annika och hennes barn gå _____ museum, men
1

den här veckan ska de åka hem _____ Annikas mamma. Barnen tycker
2

att det är så mysigt hemma _____ mormor. Där doftar det alltid gott
3

av nybakade bullar. Så är det inte _____ farmor och farfar. När Annika
4

och barnen åker _____ dem köper de alltid med sig bullar eller kakor.
5

3 Subjunktioner

TID	VILLKOR
när	ifall
medan	om
innan	
tills	VARFÖR
(inte) … förrän	eftersom/därför att
	RESULTAT
HUR	så att
utan att	
genom att	AVSIKT, PLAN
	för att
KONTRAST	
även om	ALLMÄN
trots att/fastän	att

Lena åker till stan för att handla.
Olof svarade utan att tänka.
Michael lärde sig svenska genom att se svenska filmer..

'För att/utan att/ genom att' + infinitiv om det är samma subjekt i huvudsatsen och bisatsen.

Lukas går till kursen varje dag, även om han är trött.
Monica är på jobbet i dag, trots att hon är förkyld.

Även om = hypotes
Trots att/fastän = faktum

A Skriv en subjunktion som passar.

1 I går ringde jag till John _____ fråga _____ han ville följa
   1   2
med och träna. John sa _____ han gärna ville, men att han inte kunde
                        3
_____ han fortfarande hade lite feber. Han sa att han inte ville träna
   4
_____ han var helt frisk.
   5

2 Förra veckan hade Ludvig prov i geografi, på Europas länder och huvudstäder. Han

lärde sig alla namn _____ associera till olika saker. Han tänkte till
                     1
exempel: Makedonien = macka. En macka kan man ha i skåpet = Skopje. Så höll

han på _____ han kunde allt. _____ han pluggade,
        2   3
lyssnade han på musik. På natten före provet sov han dåligt och han var lite nervös

_____ han gick till skolan. _____ han var trött och nervös
   4   5
gick provet jättebra. Han var färdig 15 minuter _____ provtiden var
                                                  6
slut.

3 Niklas och Maria älskar att grilla. På somrarna grillar de nästan varje dag,

_____ det är dåligt väder. Niklas lägger biffarna i marinad dagen
   1
innan, _____ de smakar riktigt gott. Han har gjort grillmarinad
        2
massor av gånger så han gör marinaden _____ titta i recept.
                                        3

B Komplettera meningarna. ✎

1 Eftersom jag är så trött …

2 Ska vi inte vänta tills …?

3 Skynda dig så att …

4 Man kan lära sig ett bra uttal
  genom att …

5 Medan Sören …

6 Isak joggar en runda varje morgon,
  även om …

7 Vi börjar inte förrän …

8 Om det är dåligt väder i morgon …

9 … trots att det är sent.

10 … innan jag somnar.

11 Sonja tackade ja till jobbet utan att …

12 Jag måste repetera mycket för att …

13 Jag förstår att …

14 När solen skiner …

4 Ordföljd: indirekt tal

Hon frågade om jag hade lust att åka till Stockholm.
Jag sa att jag inte kunde bestämma något.
Vet du när de går på torsdagar?

PÅSTÅENDE

… säger/berättar/tycker/menar/anser/påstår/svarar …+ att + bisats

JA/NEJ-FRÅGA

… frågar/undrar/vill veta… om + bisats

FRÅGEORDSFRÅGA

… frågar/undrar/vill veta… + frågeord + bisats

Vem ringer så här sent?
Jag undrar vem som ringer så här sent.

Om frågeordet är subjekt i direkt tal (huvudsats)
måste man använda 'som' i indirekt tal.

A Skriv om dialogerna i indirekt tal.

1 Ola: Vad ska Per och Claire göra i kväll?
   Britta: Jag vet inte.
   Ola: De kanske vill följa med på konsert?
   Britta: Jag tror inte det.

2 Agneta: Vem har skrivit artikeln?
   Pelle: Jag har skrivit den.
   Agneta: Den är helt fantastisk.
   Pelle: Jag är faktiskt nöjd med den.

3 Anders: Vad har hänt?
   Magdalena: Bilen startade inte.
   Anders: Varför startade den inte?
   Magdalena: Någon har stulit batteriet.

B Komplettera meningarna.

1 Vet du vem …?
2 Mammor säger alltid att …
3 Jag undrar hur mycket …
4 Vet du varför …?
5 Varför säger folk att …?

6 Läraren frågar om …
7 Mina vänner undrar när …
8 Man vill gärna veta vad …
9 Forskarna påstår att …
10 Det står i tidningen att …

Substantiv: bestämd form

> Sedan ligger vi i soffan allihop
> Man kanske biter på naglarna, smaskar när man
> äter, svär mycket eller petar sig i näsan.

När substantivet tillhör eller är en del av subjektet använder vi ofta bestämd form.
OBS! Efter possessivt pronomen och genitiv kommer alltid obestämd form:

De köpte sin soffa i Frankrike.
Ullas naglar är så vackra!

Skriv substantiven inom parentes i rätt form.

1 När jag var ute och sprang i går fick jag ont i _____.
   1 (fot)

   Jag kunde inte gå på min högra _____. Jag var långt hemifrån
   2 (fot)

   så jag tog _____ och ringde till min _____.
   3 (mobil)   4 (man)

   Han kom med _____ för att hämta mig efter en timme.
   5 (bil)

   Det tog så lång tid för han kunde inte gå ifrån

   _____ direkt.
   6 (jobb)

2 I morse när jag kom till _____ kunde jag inte komma in.
   1 (kontor)

   Jag hade glömt _____ hemma i lägenheten. Jag skickade
   2 (nyckel)

   ett sms till min _____ som bor nära _____
   3 (kollega)   4 (jobb)

   och frågade om han var på väg. Han svarade att han måste stanna hemma,

   för han hade så ont i _____. Men hans _____
   5 (mage)   6 (sambo)

   kunde komma förbi när hon var ute med _____. Hon kunde
   7 (hund)

   ta med sig hans _____ som jag kunde låna. Vilken tur!
   8 (nyckel)

6 Relativa pronomen: 'vilket' och 'något som'

Tack vare odlingen av sockerbetor kunde man starta en egen socker-industri, vilket blev startpunkten för masstillverkning av godis i Sverige. (= Det blev startpunkten för masstillverkning av godis …)

Samtidigt fick filmen sitt genombrott, något som också ökade godisför-säljningen. (= Det ökade också godisförsäljningen.)

'Vilket'/'något som' refererar till en hel sats.
'Vilket'/'något som' kan vara subjekt i den relativa bisatsen.

A Skriv om meningarna med *vilket* eller *något som*.
1 Kristin kan kinesiska. Det är bra för hennes karriär.
2 Eleverna kommer alltid för sent. Det irriterar läraren mycket.
3 De brukar tända en massa levande ljus. Det är så mysigt.
4 Oljepriset har gått upp. Det gör att det blir dyrare att resa.

B Komplettera meningarna.
1 Göran brukar smaska när han äter, vilket …
2 Adrian röker 30 cigarretter om dagen, vilket …
3 Bussen kommer ofta för sent, något som …
4 Våra grannar spelar ofta hög musik på nätterna, något som …

7 | Partikelverb

A Kombinera fraserna. Dra streck.

1	Hon slog sig ner …	a	ut på stan?
2	Kan du ta med dig en …	b	en massa lösgodis varje år.
3	Hänger du med …	c	mat från restaurangen?
4	Kom och hälsa på oss …	d	i soffan.
5	Krisen var över, så …	e	vad skådespelarna heter?
6	Svenskarna stoppar i sig …	f	flaska vin till festen?
7	Jag vill inte äta ute. Vi kan väl köpa hem …	g	dina saker så att jag kan dammsuga?
		h	Klänning eller kjol?
8	Jag vet inte vad jag ska ha på mig på festen i kväll. …	i	i vårt nya hus!
		j	det var bäst att sälja företaget.
9	Jag såg en fantastisk film i lördags, men jag kan inte komma på …	k	Det är kallt ute.
		l	patienten kan åka hem i morgon.
10	Vi kom fram till att …		
11	Kan du plocka ihop …		
12	Sätt på dig en mössa!		

B Skriv en eller flera små historier där partikelverben i rutan ingår.

ta med sig	stoppa i sig	komma på
komma fram till	vara över	hänga med
köpa hem	sätta på sig	hälsa på

8 | Prepositioner

Skriv rätt preposition.

1 _____ söndagar brukar vi baka något gott

2 Har du några planer _____ kvällen?

3 Vi kan ju snåla lite genom att ta bussen dit _____ stället

_____ tåget.

4 Förresten, vet du vem som frågade _____ dig?

5 Leif Claesson, produktchef _____ Godisbomben AB, tror att

det _____ annat handlar _____ Sveriges tradition med

många kiosker.

6 Här kan man välja _____ en massa olika sorters godis.

7 Dessutom har forskare visat att mörk choklad _____ och med

kan vara nyttigt.

8 … nu när svenskarna har blivit så intresserade _____ hälsa.

9 Nästan alla människor har vanor _____ olika slag.

10 Man vaknar en viss tid varje dag, firar jul _____ ett speciellt sätt,

eller man spelar tennis en gång _____ veckan.

11 Man kanske biter _____ naglarna, smaskar när man äter, svär mycket

eller petar sig _____ näsan.

12 Om man har svårt att leva _____ något kan man tala om beroende.

13 Ordet narkoman kan man använda _____ olika sammanhang,

en person kan vara arbetsnarkoman eller träningsnarkoman _____

exempel.

14 Ibland överdriver man lite och säger att man är beroende _____

shopping, en teveserie, en speciell hudkräm eller en viss pizza.

15 Man tror att människan _____ länge, länge sedan stillade sitt

sockerbehov med kåda, honung, bär, frukter och nötter.

16 _____ den tiden trodde man nämligen att sötsaker var bra

_____ kroppen.

17 Exempel _____ godis från den tiden är kanderade violer, syrener

eller rosenblad och brända mandlar.

18 Amalia tjänade mycket pengar _____ sin polkagristillverkning.

19 _____ en början var det gatuförsäljare som sålde Augusta Janssons godsaker

_____ olika platser i Stockholm.

20 _____ så sätt blev det lättare att få tag _____ godis.

KAPITEL 5

9 Verb

Välj verb ur rutan och skriv dem i rätt form där de passar in.

> tända visa hålla få odla fira ta lösa komma gå

1 Varje fredag brukar jag _____ korsordet i tidningen.

2 Ska vi _____ en tur i stan i helgen?

3 Bussarna till landet _____ två gånger i timmen.

4 Hur _____ det sig att du alltid är sen på måndagar?

5 Var ska ni _____ jul i år?

6 Kådan _____ sig vara en sorts tuggummi som var
   5 000 år gammalt.

7 Mot slutet av 1800-talet började man _____ sockerbetor
   i Sverige.

8 Det är så mörkt här. Kan vi inte _____ några ljus?

9 Skådespelaren _____ sitt genombrott med filmen Vampyrer.

10 Kåda hjälpte till att _____ tänderna rena förr i tiden.

6 [1] Verb: tempus, konditionalis

Vad skulle du göra om du var kung i Sverige?
Om jag var kung skulle jag …

A Sortera bisatserna.
Vad skulle du göra …

1 … pengar/inte/om/hade/du/några?

2 … hittade/10 000 kr/om/gatan/du/ på?

3 … blev/du/i/kär/om/bästa väns/din/ partner?

4 … fanns/elektricitet/om/inte/bostad/ din/det/i?

5 … en björn/mötte/om/skogen/i/du?

B Svara på frågorna 1–5.

Exempel:

1 Då skulle jag …

[2] Ordkunskap

Välj ord ur rutan och skriv dem i rätt form där de passar in.

riksdagen	styr	borgerlig	minskar	medborgare
val	förändras	välfärdsstat	kärnkraft	undantag
makt	avbrott	barnbidrag	åsikt	löser
regering	uttryck	skatt	jämlikhet	tjänar

1 Jag har ett svårt problem. Jag vet inte hur jag ska _____ det.

2 Sveriges parlament heter _____.

3 _____ betyder att alla människor är lika mycket värda.

4 Ett _____ är ungefär detsamma som en paus.

5 I en _____ ska alla ha det bra socialt och ekonomiskt.

6 I Sverige får man mer än 1 000 kronor i månaden i _____ för varje barn upp till 16 år.

7 Den som bestämmer har _____.

8 När det är _____ röstar man på det parti man tycker har bäst politik.

9 Statsministern är "chef" över sin _____.

10 En överläkare _____ mer än en sjuksköterska.

11 Alla har rätt att säga vad de tycker. Alla har rätt att uttrycka sin _____.

12 Alla som arbetar betalar cirka 30% i inkomst _____.

13 I Sverige kommer en stor del av energin från _____ (atomenergi).

14 Diktatorn _____ landet i mer än 10 år.

15 De flesta partier som inte är socialistiska är _____.

16 Medlemmar i en stat är _____.

17 Världen har _____ de senaste 100 åren. Ingenting är som förr.

18 Att "hålla koll" är ett _____ som betyder ungefär "att kontrollera".

19 Den här regeln gäller till 100%. Den har inga _____.

20 Vi måste försöka _____ koldioxidutsläppen.

3 Politik

Kryssa för rätt alternativ.

1 Det socialistiska blocket består av
  a Vänsterpartiet och Miljöpartiet.
  b Socialdemokraterna och Folkpartiet.
  c Vänsterpartiet och Socialdemokraterna.

2 Per Albin Hansson var partiledare för
  a Moderaterna.
  b Socialdemokraterna.
  c Vänsterpartiet.

3 Per Albin Hansson började kalla Sverige
  a Folkhemmet.
  b Moder Svea.
  c Storsverige.

4 Mellan 1976 och 1982 hade Sverige
  a en borgerlig regering.
  b två borgerliga regeringar.
  c fyra borgerliga regeringar.

5 De borgerliga partierna hade under den perioden olika åsikter om
  a barnbidraget.
  b kärnkraften.
  c välfärdsstaten.

6 Olof Palme blev mördad
   a 1974.
   b 1986.
   c 1992.

7 Efter Olof Palme blev
   a Fredrik Reinfeldt statsminister.
   b Göran Persson statsminister.
   c Ingvar Carlsson statsminister.

8 De borgerliga partiernas koalition som vann valet 2006 kallades
   a Allians för Sverige.
   b Borgerligt manifest.
   c Ett nytt Sverige.

4 Verb: presens futurum (presens)

Vi startar en kampanj nästa månad.
Om det går dåligt ...

> Presens + framtidsuttryck
> Presens i konditionala (om ...)
> och temporala (när ...) bisatser

A Skriv meningar med tidsuttrycken i rutan. Använd presens.

> om en timme   nästa vecka   i morgon   i kväll   i sommar

Exempel:

Filmen börjar om en timme.

B Komplettera meningarna.

Exempel:

När jag kommer hem ska jag ringa morfar.

1 När ... ska vi gå ut.
2 När ... ska jag köpa en flaska champagne.
3 När ... ska jag ta en promenad.

4 Om ... ska jag flytta.
5 Om ... ska vi ha en picknick.
6 Om ... ska jag köpa en fin klocka.

5 Verb: presens futurum (kommer att, ska, tänker)

> Fisken kommer att försvinna från våra vatten …

Kommer att + infinitiv = en naturlig process/logisk konsekvens/prognos. Subjektet planerar eller bestämmer inte.

> Vi ska annonsera i olika tidningar

Ska + infinitiv = uttrycker beslut/plan/schema/vilja/tvång/intention/löfte/rykte (man visar att informationen kommer från någon annan).

A Skriv *kommer att* eller *ska*.

1 Soppan _____ bli jättestark om du har i mer chili.

2 Du _____ bli sjuk om du inte slutar röka.

3 Kajsa _____ bli tandläkare när hon blir stor.

4 Regeringen beslutade att de _____ höja skatten med en krona.

5 Vi _____ beställa en ny teve på nätet.

6 Arbetsmarknadsministern har lovat att arbetslösheten _____ sjunka.

7 Roine är mycket duktig. Han _____ bli en bra partiledare.

8 Jag _____ gå till banken och ta ut pengar efter jobbet.

9 Doktorn sa att farmor _____ bli helt frisk med den nya medicinen.

10 Jag _____ ge tillbaka alla pengar jag har lånat!

> Om det går dåligt tänker jag starta ett annat parti.

Tänker + infinitiv = planerar

B Skriv tre egna meningar med *ska* och tre med *kommer att*.

RIVSTART B1 Övningsbok

C Välj mellan *kommer att + infinitiv* och *tänker + infinitiv*. Skriv ett verb som passar.

1 Jag _____ en ny dator snart.

2 Ta det lugnt. Allt _____ bra.

3 Pelle _____ jättearg när han ser att någon

har tagit hans cykel.

4 Nina och Folke _____ i Thailand i vinter.

5 Jag _____ i soffan och titta på DVD-filmer

hela helgen.

6 Du _____ mycket bättre om du slutar röka.

6 Statistik

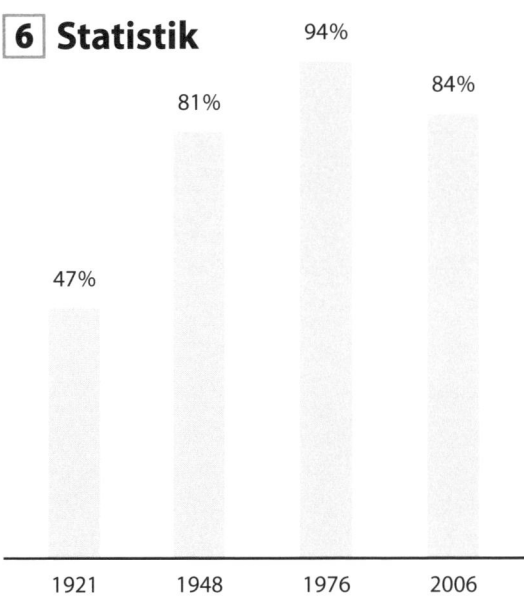

Diagrammet visar andelen kvinnor som röstade i riksdagsvalen i Sverige år 1921, 1948, 1976 och 2006.

Skriv meningar som på olika sätt beskriver statistiken.

Exempel:

Mindre än hälften av kvinnorna röstade i riksdagsvalet 1921.

7 Subjunktioner

Komplettera meningarna.

1 Lillian betalar ganska mycket skatt eftersom …
2 Regeringen har lovat att …
3 Fiskpartiet vill vinna röster genom att …
4 Du måste gå och rösta när …
5 Peter funderar länge innan …
6 Anders Andersson blev statsminister trots att …
7 Man måste arbeta hårt om …
8 Elsa ringer till sitt parti för att …
9 De vill starta ett nytt parti även om …
10 Det är svårt att bli rik utan att …

8 Ordbildning: verb och substantiv

Substantivbildning med -(n)ing.

A Skriv verbet eller substantivet.

VERB	SUBSTANTIV
1 förändrar	_____
2 _____	en finansiering
3 annonserar	_____
4 _____	en röstning
5 regerar	_____
6 _____	en ersättning
7 räddar	_____

B Skriv egna meningar med orden från övning A.

Exempel:

Gösta är mycket intresserad av politik och vill förändra världen.

7

1 Relativa pronomen och adverb

jordgubben som inte kom till Sverige förrän på 1700-talet.
en plats som man gärna kommer tillbaka till
ett ställe där man mår bra och kopplar av.
en plats dit man man kan åka när man är stressad
två syskon vars pappa dör
Filmen visade människor utan kläder vilket var en skandal på den tiden.

Som: relativt pronomen, obligatoriskt när det är subjekt. Man kan inte sätta prepositioner före som. Prepositionen sätter man sist i satsen.
Där, dit: relativa adverb som man använder för position och destination.
Vars: genitivform.
Vilket: syftar tillbaka på en hel fras (synonym *något som*).

A Skriv rätt pronomen eller adverb.

som   där   dit   vars   vilket

1 Mitt smultronställe är en plats _____ jag kan vila och
_____ jag ofta åker. Det är mitt sommarställe _____
ligger i skogen vid en sjö. Det var min farfarsfar _____ familj
var mycket stor _____ byggde det. Han byggde ett stort hus
_____ alla skulle få plats i.

2 I går såg jag en film _____ var mycket intressant. Filmen
handlar om en flicka _____ pappa är alkoholist. De bor i en
stad _____ den sociala kontrollen är mycket hård. Alla vet
att pappan dricker och ingen vill leka med henne. Flickan går i en skola
_____ elever kommer från byarna runt staden. En dag
kommer en pojke _____ blir hennes kompis.

55

KAPITEL 7

De upptäcker att de har samma problem i sina familjer

_____ gör att de börjar planera hur de ska lösa problemet
                6

med de alkoholiserade papporna.

3 Hallon är ett bär _____ växer på kalhyggen dvs ställen
                                 1

_____ man huggit ner skogen. Hjortron är ett bär
                2

_____ smak är mycket speciell. Man hittar dem på myrar,
                3

dvs land _____ ligger under vatten. Myren är en naturtyp
                      4

_____ man hittar många speciella växter och djur.
                5

B Gör meningar med *som*. ✏

   Exempel:
   Jag har en skiva. Jag lyssnar gärna på den.

   Jag har en skiva som jag gärna lyssnar på.

1 Inte långt från mitt hus finns en skog. Jag springer ofta i den.
2 På biblioteket har de en fotobok. Jag tittar mycket i den.
3 I Malmö finns en park. Jag promenerar mycket i den.
4 Ingmar Bergman var en regissör. Många blev inspirerade av honom.
5 På en fest träffade jag en man. Jag drömmer ofta om honom
6 Jag har ett eget företag. Jag investerar mycket pengar i det.
7 Ett smultronställe är en plats. Man kommer gärna tillbaka till den platsen.

2 Ordkunskap

A Vad uttrycker orden? Kryssa i en eller flera rutor per ord.

	SEVÄRDHETER	AKTIVITET	TID	BYGGNAD	DJUR	NATUR
1 att klättra i berg	☐	☐	☐	☐	☐	☐
2 medeltiden	☐	☐	☐	☐	☐	☐
3 en björn	☐	☐	☐	☐	☐	☐
4 vikingatiden	☐	☐	☐	☐	☐	☐
5 en forsränning	☐	☐	☐	☐	☐	☐
6 en kyrka	☐	☐	☐	☐	☐	☐
7 en ringmur	☐	☐	☐	☐	☐	☐
8 en ruin	☐	☐	☐	☐	☐	☐
9 en sommar	☐	☐	☐	☐	☐	☐
10 en strand	☐	☐	☐	☐	☐	☐
11 en årstid	☐	☐	☐	☐	☐	☐
12 en älg	☐	☐	☐	☐	☐	☐
13 en äng	☐	☐	☐	☐	☐	☐
14 ett fjäll	☐	☐	☐	☐	☐	☐
15 att vandra	☐	☐	☐	☐	☐	☐
16 en skog	☐	☐	☐	☐	☐	☐
17 stenålder	☐	☐	☐	☐	☐	☐
18 en bäver	☐	☐	☐	☐	☐	☐

B Skriv en text med så många av orden från övning A som möjligt.

3 Verb: perfekt particip

GRUPP	SUPINUM	PERFEKT PARTICIP			
		SINGULAR			PLURAL
		OBESTÄMD FORM EN	OBESTÄMD FORM ETT	BESTÄMD FORM	OBESTÄMD OCH BESTÄMD FORM
1	stressat	en stressad kvinna	ett stressat barn	den stressade kvinnan det stressade barnet	(de) stressade kvinnor(na) (de) stressade barn(en)
2a	fyllt	en fylld paprika	ett fyllt ägg	den fyllda paprikan det fyllda ägget	(de) fyllda paprikor(na) (de) fyllda ägg(en)
2b	stekt	en stekt fisk	ett stekt ägg	den stekta fisken det stekta ägget	(de) stekta fiskar(na) (de) stekta ägg(en)
3	bebott	en bebodd ö	ett bebott land	den bebodda ön det bebodda landet	(de) bebodda öar(na) (de) bebodda länder(na)
4 it	skrivit	en nyskriven bok	ett nyskrivet kontrakt	den nyskrivna boken det nyskrivna kontraktet	(de) nyskrivna böcker(na) (de) nyskrivna kontrakt(en)
4 oreg	sålt	en såld bok	ett sålt hus	den sålda boken det sålda huset	(de) sålda böcker(na) (de) sålda hus(en)

Har/hade + supinum: supinum är oböjligt.
Är/blir + perfekt particip: perfekt particip böjer vi som ett adjektiv.

A Skriv formerna som fattas och verbgrupp.

		SUPINUM	PERFEKT PARTICIP			
			SINGULAR			PLURAL
			OBESTÄMD		BESTÄMD	OBESTÄMD OCH OBESTÄMD
	GRUPP		EN	ETT		
1	____	bakat	bakad	_____	bakade	
2	____	fyllt	fylld	_____	_____	
3	____	fött	_____	fött	födda	
4	____	gräddat	_____	_____	_____	
5	____	_____	kokt	kokt	kokta*	
6	____	kryddat	_____	_____	_____	
7	____	_____	mosad	mosat	mosade	
8	____	rivit	_____	_____	_____	
9	____	rostat	_____	_____	_____	
10	____	rökt	_____	_____	_____	
11	____	_____	skriven	skrivet	skrivna	
12	____	smält	_____	_____	_____	
13	____	stekt	_____	_____	_____	
14	____	_____	strödd	strött	strödda	
15	____	_____	sydd	sytt	sydda	
16	____	tärnat	_____	_____	_____	
17	____	vispat	_____	_____	_____	
18	____	ätit	_____	_____	_____	

* Alternativformer: kokad, kokat, kokade

B Skriv om satserna med perfekt particip. Objekten blir subjekt. ✎

> Fläsket är tärnat och stekt.

Han har ...

1 ... tärnat och stekt fläsket.
2 ... hackat och stekt löken.
3 ... kokat och mosat potatisen.
4 ... blandat potatisen med ägg och mjöl.
5 ... format bollar.

6 ... fyllt bollarna med fläsket och löken.
7 ... saltat vattnet.
8 ... kokat bollarna i vatten.
9 ... lagat färdigt kroppkakorna.

Partikelverb bildar perfekt particip med partikeln först.
Också andra småord eller prefix kan hamna först.

Exempel:
ätit upp: uppäten
nybakad
obebodd

C Fyll i perfekt particip av partikelverben.

1 Jag har *ätit upp* maten. Den är _____.

2 Jag ska på fest och har *tagit fram* alla kläder. De är _____.

3 Jag har *kryssat för* rätt alternativ. De rätta alternativen är _____.

4 Vi har *slagit upp* böckerna på sidan 5. De är _____.

5 Tina har *gift om* sig. Hon är _____.

6 På Nobelfesten har alla *klätt upp* sig. De är _____.

7 Vi har *delat upp* godiset mellan oss. Det är _____.

8 Den har skivan *spelade* man *in* i Moskva. Den är _____
   i Moskva.

9 Jag har *skrivit upp* vad jag ska köpa på en lapp. Det är _____
   på en lapp.

10 Gatlyktorna *lyser upp* gångvägen. Den är _____.

Till sist

4 Prepositioner

Välj prepositioner ur rutan och skriv dem där de passar in.

med	för	om	på	till		
av	från	hos	under	i	vid	

Dalarna

_____ oss hittar du ett annat Sverige. Här målar vi dalahästar,

1

symboler _____ Sverige _____ hela världen.

2   3

Konstnärer blir inspirerade _____ den vackra naturen i Dalarna.

4

Här talar vi olika dialekter _____ nästan varje by. Älvdalskan är

5

en _____ de mest speciella dialekterna.

6

_____ Dalarna lever de gamla byarna kvar. _____ resten

7   8

_____ Sverige ligger husen långt _____ varandra.

9   10

Småland

Drömmer du _____ en röd stuga _____ en sjö? Då är

1   2

Småland rätt ställe _____ dig. Här kan du uppleva en riktig svensk

3

sommar _____ bad, saft och bullar och smultron. _____

4   5

våra djupa skogar kan du vandra och plocka svamp och bär _____

6

sommar och höst.

Vi har flera universitet och en stor framtidsoptimism. Vi investerar

mycket _____ ny teknik som t ex vindkraft och _____ fler

7   8

städer har miljöarbetet kommit långt.

Skåne

Kom _____ Skåne, platsen där allt händer. Här hittar du allt:
1

pulserande storstad _____ Malmö, studentstad _____ historia
23

_____ Lund, levande landsbygd, rikt kulturliv och en spännande
4

historia.

_____ Skåne har turisten nära _____ badstränder,
56

vandringsleder, historiska slott och pittoreska byar. Den historieintresserade

kan besöka många intressanta platser och lära mer _____ landskapets
7

danska och svenska historia.

Många företag växter mycket p g a den ökande kontakten _____
8

Köpenhamn. Också studentlivet växer mycket. Du kan studera _____
9

högskolenivå _____ flera _____ våra städer.
1011

5 Verb: känner ...

> Jag känner många människor.
> På kursen har jag lärt känna många trevliga personer.
> Jag känner inte till någon bra restaurang i Linköping.
> Har du feber? Får jag känna på din panna?
> Det känns tråkigt att kursen är slut. Den var så rolig.
> Jag känner mig så trött för jag har inte sovit något på hela natten.

Känner använder vi på många sätt:
känner = är vän/bekant med
lär känna = blir vän med
känner till = har kunskap om, vet något om
känner på = lägger handen på något
Det känns + adjektiv = tycker, tänker att det är på ett speciellt sätt
känner sig = mår

Välj ord ur rutan på s 62 och skriv dem i rätt form där de passar in.

1 Det är måndag morgon. Peter vaknar. Han _____
   1

trött och hängig. Det _____ kallt i rummet.
                               2

Han _____ på elementet. Det är alldeles kallt.
           3

Han måste ringa till hyresvärden och felanmäla. Suck.

2 Ahmed har just flyttat till Landskrona. Förut bodde han i Umeå. Där

_____ han många människor. Men här
           1

_____ han ingen. Han _____
           2   3

några uteställen. Han kanske skulle gå ut någon kväll. På så sätt kan han

_____ lite nytt folk. Då kanske det
           4

_____ bättre.
           5

3 Camilla går till doktorn för hon har ont i magen. Hon

_____ verkligen inte pigg. Doktorn
           1

_____ på hennes mage och konstaterar att
           2

den _____ svullen.
             3

– Du måste stressa mindre, säger han till Camilla. Hon

_____ sig bättre när hon går därifrån.
           4

6 Partikelverb

A Kombinera partikelverben med rätt betydelse. Dra streck.

1 gifta om sig   **a** dela något i bitar eller grupper

2 hänga med   **b** gifta sig igen

3 klä upp sig   **c** sätta på sig fina kläder

4 komma fram   **d** ta något ur ett skåp, en låda eller en väska t ex

5 slå upp   **e** titta efter något i en bok eller katalog

6 slå ut   **f** vara vid målet för en resa

7 ta fram   **g** äta allting

8 äta upp   **h** öppna knoppar på träd eller blommor

9 dela upp   **i** göra någon sällskap

B Välj bland partikelverben från övning A och skriv dem i rätt form där de passar.

1 Min kompis Eva _____ sig. Det är ett stort bröllop med

många gäster. Jag har verkligen _____ mig för att vara fin.

Det är vår. Solen skiner och björkarna

har _____.

Inne i kyrkan är det fullt med folk. Brudparet går in i kyrkan. När de

_____ till prästen säger han: Vi har samlats här i dag ...

Efteråt är det middag med dans på stadshotellet. Allt är så trevligt. Maten är god

men jag orkar inte _____ allt.

    Brudparet får massa presenter.

    Tre månaders senare skiljer de sig och _____ alla saker

som de fått på bröllopsdagen. Så kan det gå.

2 En dag fick jag en inbjudan till en vernissage. Jag visste inte vad det betydde

så jag _____ en ordbok och _____ ordet.

Det betyder första dagen på en konstutställning. Vad kul! Jag frågade min kompis

Erik om han ville _____ och det ville han, så jag slapp gå
₃

ensam. Det var skönt. Vernissagen var fantastisk. Tavlorna var vackra och vi fick

mousserande vin!

B   Skriv egna meningar med partikelverben från övning A.

7 | Ordbildning: substantiv

> Ord på -(n)ing och -het är alltid en-ord.
> Ord på -(n)ing har plural på -ar och ord på -het har plural på -er.

Skriv ord som slutar på -ning eller -het och som är släkt med de *kursiverade* orden.

Exempel:
Det är bra att *träna* mycket.

<u>Träning</u> ger dig bättre kondition och mer muskler.

1   En person från *Skåne* kallas för _____.

2   I London finns många *sevärda* teaterpjäser och musikaler. Du kan också se parla-

mentet och slottet. Många turister besöker de här _____

varje år.

3   I Sverige finns många *forskare*. De *forskar* om många olika saker. Ofta kan deras

_____ *vara nyttig för människor t ex för att göra nya

mediciner.

4   I dag kan man göra så många saker. Allt är *möjligt*. Men trots alla

_____ är det många som bara klagar.

5   Man *spelade in* filmen på Fårö. _____ gick bra och

filmen blev en succé.

6   Min mamma sa alltid att det är bra att *utbilda* sig. Med en bra

_____ får man ofta högre lön och ett roligare jobb.

7   När man blir gammal blir man ofta *trött* och *ensam*.

_____ *och _____ *kan

göra att man blir deprimerad och sjuk.

*Har ingen pluralform. Ordet är oräknebart.

8 Repetition: ordföljd

Skriv orden under raderna i rätt ordning.

Jämtland

På sommaren _____ fiska i någon sjö. Men här _____
$\quad\quad\quad\quad\quad$ 1 (du kan) $\quad\quad\quad\quad\quad\quad\quad\quad\quad\quad\quad\quad\quad\quad\quad\quad$ 2 (du kan)

också paddla kanot eller cykla.

_____ ett rikt djurliv. _____ se många djur
$\quad\quad$ 3 (också vi har) $\quad\quad\quad\quad\quad\quad\quad\quad\quad\quad\quad$ 4 (få kan du)

På vintern _____ för att åka skidor.
$\quad\quad\quad\quad$ 5 (man kommer hit)

Lappland

Om _____ storstadens stress är Lappland rätt ställe för dig.
$\quad\quad$ 6 (slippa vill du)

Här _____ som står i fokus. _____ stora skogar och berg.
$\quad\quad$ 7 (naturen det är) $\quad\quad\quad\quad\quad\quad\quad\quad\quad\quad\quad$ 8 (har vi)

I något av våra lärcentrum _____ på distans.
$\quad\quad\quad\quad\quad\quad\quad\quad\quad\quad\quad$ 9 (du studera kan)

Hos oss _____ 500 000 kronor.
$\quad\quad$ 10 (en villa kostar)

9 Repetition: verb i presens particip

Välj verb ur rutan och skriv dem i presens particip där de passar in.

följer	liknar	välkomnar
griper	pulserar	växlar om
lever	styr själv	ökar

1 Stora städer har ofta ett _____ nattliv med många

restauranger, barer och klubbar som är öppna hela nätterna.

2 Filmen var så _____ att jag började gråta.

3 Ostron brukar man äta _____. Inte alla tycker om dem.

4 Att jobba som sjuksköterska är _____. Varje dag

   gör man olika saker.

5 Kommunerna är delvis _____. De bestämmer ganska

   mycket själva.

6 Jag har ett _____ problem. Jag känner igen

   mig i din situation.

7 Förstår du _____ ord: rauk, orkidé och bäver?

8 Hotellet hade en _____ atmosfär. Man kände sig

   genast hemma där.

9 I många länder i Europa dricker man mer och mer alkohol. Det

   _____ alkoholmissbruket skapar stora problem.

8

1 Ordkunskap

Skriv ett ord som är släkt med det kursiva ordet.

1 Alla hade inte *rösträtt*, inte alla fick _____.

2 Många hade stor *framtidstro*. De _____ på framtiden.

3 Arkitekter och ingenjörer konstruerade många nya *byggnader*. Det behövdes

   mycket folk för att _____ dem.

4 Många blev *mördade*. Polisen kunde inte lösa alla _____.

5 Man ville *förbjuda* sprit. Men folket röstade mot ett _____.

6 Man *folkomröstade* om sprit. Resultatet av _____ blev nej till förbud.

7 *Politiken* blev viktig i musiken. Musiken blev _____.

8 Man *demonstrerade* mot sociala problem. Många människor kom till

   _____.

9 Astrid Lindgren *berättade* om en liten flicka som var mycket stark.

   _____ blev mycket populär.

10 Han *sjöng* vackert och folk älskade honom. Han var en fantastisk

   _____.

2 Verb: tempus

Kristina hade studerat mycket. Hon var drottning. Hon skulle abdikera.

före då	då	efter då
PRETERITUM PERFEKT	PRETERITUM	PRETERITUM FUTURUM
hade studerat mycket	var	skulle abdikera*

Victoria har studerat mycket. Hon jobbar nu. Hon ska bli drottning.

före nu	nu	efter nu
PRESENS PERFEKT	PRESENS	PRESENS FUTURUM
har studerat	jobbar	ska bli drottning

```
*
PRESENS FUTURUM      PRETERITUM FUTURUM
Jag ska åka
Jag kommer att åka  }  Jag skulle åka
Jag åker
```

A Läs texten. Ändra till *då*.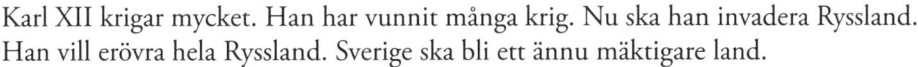

Karl XII krigar mycket. Han har vunnit många krig. Nu ska han invadera Ryssland.
Han vill erövra hela Ryssland. Sverige ska bli ett ännu mäktigare land.

Ulf heter en av Karl XII: s soldater. Han är bonde och han har lämnat hela sin
familj hemma på gården. Nu ska han kriga för Karl XII i Ryssland. Ulf har varit
med i flera krig tillsammans med Karl. Han gillar inte krig. Det är fruktansvärt att
se alla kamrater som dör. Han vet inte om han kommer att överleva detta krig.

Exempel:

Karl XII krigade ...

B Välj verb ur rutan och skriv dem där de passar in.

```
checkar in      får         landar       kör iväg
flyger          hämtar      lyfter       t̶a̶r̶
```

En resa med förhinder

Jag och min kompis hade tagit semester och skulle åka till Thailand och Laos.

Vi _skulle ta_____ bilen och långtidsparkera på flygplatsen.

När vi _____ bilen märkte jag att bensinen nästan var slut.
         1
Vi var tvungna att åka och tanka. Till slut var vi på flygplatsen.

När vi _____ märkte vi att vi hade glömt flera väskor hemma.
         2
Det struntade vi i.

När vi _____ fungerade inte motorerna. Vi var tvungna att
         3
vänta flera timmar. Till slut lyfte vi. Jag var hungrig som en varg.

När vi _____ mat hade de glömt att jag är vegetarian.
4

När vi _____ i Bangkok fungerade inte kontakten med kontrolltornet.
5

Vi fick cirkulera en lång stund innan vi kunde landa. Till slut landade vi.

Vi var båda utmattade.

När vi _____ vårt bagage fick vi vänta en lång stund. Till slut
6

förstod vi att vårt bagage inte hade kommit med planet.

Vi åkte till hotellet och väntade på bagaget. Vi _____ till Vientiane
7

nästa dag så vi behövde verkligen bagaget. Vi gick och la oss. Mitt i natten

blev vi väckta av en person från flygbolaget. De hade hittat vårt bagage!

C Välj verb ur rutan och skriv dem i preteritum perfekt där de passar in.
   Du kan använda samma verb flera gånger.

> väntar   är fel
> glömmer   kommer

En annan syn på saken

Vi märkte att bensinen var slut när vi hade satt oss i bilen. Vi åkte och tankade

bilen. När vi checkade in märkte vi att vi _____ flera väskor
1

hemma. Det struntade vi i. När vi _____ i flera timmar kunde
2

vi starta. Det _____ på motorerna. De _____
3   4

att jag är vegetarian när vi fick mat. När vi till slut landade i Bangkok hade vi

cirkulerat en lång stund ovanför flygplatsen för det _____
5

på kontakten med kontrolltornet. När vi _____ vid bagagebandet en
6

lång stund förstod vi att vårt bagage var borta. Vi åkte till hotellet och satt där och

väntade på bagaget. När vi _____ i 10 timmar ringde de från flygplatsen
7

och sa att de hade hittat vårt bagage.

D Kombinera till fraser med preteritum perfekt.

Exempel:

Jag kunde ingen svenska när jag kom till Sverige inte studera svenska

> Jag kunde ingen svenska när jag kom till Sverige eftersom jag
> inte hade studerat svenska.

1 Jag var nervös på min första körlektion eftersom
2 Jag blev jätteglad när
3 Men bilen stannade när
4 Jag fick motorstopp eftersom
5 Det gick lite bättre när
6 När vi kom tillbaka till körskolan sa körläraren att

a inte lära sig att gasa tillräckligt
b köra en liten bit
c starta bilen
d vara jätteduktig
e vänja sig
f aldrig köra bil

E Välj verb ur rutan och skriv dem i preteritum futurum där de passar in.

> gård   händer   ringer   svarar   är
> hittar   kommer   ställer   tar

När jag _____ på min första jobbintervju var jag mycket nervös.

1

Jag hade aldrig varit på en jobbintervju så jag visste inte vad som _____.

2

Jag undrade vilka frågor de _____ och om intervjuarna

3

_____ trevliga eller otrevliga.

4

När jag skulle gå ut genom dörren ringde telefonen. Det var min kompis,

Anna, som hade en jätteviktig sak att berätta.

Hon slutade aldrig att prata. Till slut var jag tvungen att avsluta samtalet.

När gick av tunnelbanan visste jag inte vilken utgång jag _____.

5

Självklart fanns ingen att fråga.

Jag tog fel uppgång och jag gick vilse. Jag visste inte hur jag _____

6

till arbetsplatsen.

När jag till slut hittade fram, satt alla och väntade på mig. Jag var en halvtimme

sen. De hade suttit och undrat om jag _____.

7

KOPIERING AV DETTA ENGÅNGSMATERIAL ÄR FÖRBJUDEN ENLIGT LAG OCH GÄLLANDE AVTAL

Intervjun gick jättedåligt. Jag visste inte hur jag _____ på frågorna.

₆

Efter intervjun sa de tack och att de _____ mig, men det gjorde

₇

de aldrig. Jag undrar fortfarande varför.

4 | Tempus: före, samtidigt eller efter?

A Kombinera text och bild.

1 När jag hade gått och lagt mig ringde telefonen.
2 När jag gick och la mig ringde telefonen.
3 När jag skulle gå och lägga mig ringde telefonen.

B Gör egna exempel enligt mönstret i övning A.

4 Tidsuttryck

DÅ	DÅ	NU	FRAMTID	FRAMTID	VARJE
	nyss	nu	snart, strax		
i förrgår	i går	i dag	i morgon	i övermorgon	på dagen/dagarna
i går morse	i morse	nu på morgonen	i morgon bitti		på morgonen/morgnarna
i går natt	i natt	i natt	i natt		på natten/nätterna
förrförra året	i fjol/förra året	i år	nästa år	nästnästa år	varje år
förrförra månaden	förra månaden	den här månaden	nästa månad	nästnästa månad	varje månad
förra helgen	i helgen	i helgen	i helgen	nästa helg	på helgen/på helgerna
förra måndagen, tisdagen, onsdagen...	i måndags/tisdags/onsdags... (på måndagen*)		på måndag/tisdag/onsdag ...	nästa måndag, tisdag, onsdag ...	på måndagar/måndagarna
	i somras/höstas/vintras/våras	i sommar/höst/vinter/vår	i sommar/höst/vinter/vår		på sommaren/somrarna hösten/höstarna vintern/vintrarna
	förr, förut, tidigare	nuförtiden, numera	i framtiden		
	(år) 1972 ...		(år) 2120**		
FÖRE DÅ		DÅ	EFTER DÅ		
dagen före/innan			dagen efter/dagen därpå		

* i tidningsspråk   ** ingen preposition vid årtal

– Jag har redan köpt alla julklappar.

– Å, vad duktigt du är! Jag har inte köpt några än.

– Bor du fortfarande i Stockholm.

– Nej, jag bor inte där längre. Jag bor i Sundsvall nu.

– Är du redan här? Jag trodde du skulle komma om tre dagar?

– Nej, jag kom för tre dagar sedan.

– Hur länge bodde du i Grekland?

– I tre år. Men nu har jag inte varit där på nästan 15 år. Vi ska åka dit igen i sommar. Jag tror att mycket har förändrats.

---

redan – inte än
fortfarande – inte längre
för ... sedan – om
(i) – inte på

A Komplettera fraserna med något av tidsuttrycken ur rutan här ovanför och från s 73 och orden inom parentes.

1 – Titta på de här gamla fotona! När var det vi var på Korsika egentligen?

– Det var _____.
   (två år)

– Menar du _____ året? Jag trodde det var i fjol.

– Nej, det var _____. Jag minns det för jag hade
   (sommar)

precis köpt den här kameran.

2 – Har du _____ köpt dina julklappar?

– Nej, jag har inte gjort det än.

3 – Studerar du _____ svenska? – Nej, inte längre.

4 – När träffade du Olof senast? – Det vare längesedan. Vi har inte setts

_____ tre år.

5 – Vi ska åka till Thailand _____. – Åh, vad härligt! Vi var där
(jul)

_____. Nu sparar vi för att åka jorden runt. Inte nästa år utan
(sommar)

_____. Vi behöver spara pengar i nästan två år för att ha råd.
(år)

6 – Vad brukar du göra _____?
(kväll)

– Jag brukar sjunga i kör och läsa böcker.

7 – Var var Mia _____? Vi brukar ju alltid träffas
(tisdag)

_____. – Hon var sjuk. Men hon kommer
(tisdag)

_____.
(tisdag)

B Skriv en liten text med så många tidsuttryck som möjligt. Skriv om dåtiden,
nutiden och framtiden. Texten kan handla om ditt eget liv eller någon annans.

Till sist

5 Ordbildning: substantiv

Petra har forskat länge om DNA. Hennes forskning är mycket intressant.
Sebastian är sångare. Han sjunger helst tyska sånger.
Ulla brukar köpa lotter i det statliga lotteriet. Tyvärr vinner hon mycket sällan.
Man brukar säga att en fri människa inte förstår hur mycket friheten är värd.
Sverige är ett land med många vackra och intressant landskap.

-(n)ing, -are, -eri, -het och -skap är alla suffix som bildar substantiv.
Dessa suffix är produktiva, dvs vi kan bilda nya ord hela tiden.
Ord på -(n)ing är alla en-ord och har plural -ar.
Ord på -are är alla en-ord och har samma pluralform.
Ord på -het är alla en-ord och har plural på -er (-het gör adjektiv till substantiv).
Ord på -eri är alla ett-ord har har plural på -er.
Ord på -skap är en- eller ett-ord och har plural på -er eller samma pluralform.

Sätt ihop orden med suffixen på s 75 för att bilda substantiv. Ibland måste du ändra formen lite på grundordet. Alla ord finns i kap 1–8 i textboken.

Exempel:
anställer _anställning_   arbetar _arbetare_

1	arbetslös	9	handla	17	egen	25	snyftar
2	beskriver	10	hastig	18	ensam	26	sång
3	betalar av	11	jämställd	19	envis	27	trött
4	festlig	12	land	20	regerar	28	uppfinner
5	forska	13	lott	21	röstar om	29	utbildar
6	fri	14	myndig	22	sann	30	vandrar
7	författar	15	möjlig	23	skådespel	31	åker skidor
8	ger arbete	16	träna	24	snabb	32	övar

6 Sammansatta ord

A Kombinera ord från de två spalterna till sammansatta ord. Om det första ordet är sammansatt ska det vara 's' mellan orden. Många andra sammansatta ord har också 's' mellan orden. Om första ordet slutar på -a tar man bort a:et.

citron	glas
framtid	intresse
fritid	land
grann	minister
krona	musik
punk	mål
resa	prins
röst	rätt
snaps	tionde
stat	tro
år	träd

B Skriv fraser med orden från övning A.

7 Partikelverb

A Kombinera partikelverb med betydelserna. Dra linjer.

1 skriva på	a hjälpa någon
2 hålla på och	b bestämma något tillsammans
3 sätta in	c göra ett streck under något
4 hjälpa till	d göra något just nu
5 stryka under	e placera inuti något
6 komma överens om	f plötsligt bli mycket populär
7 slå igenom	h underteckna

B Välj verb ur rutan och skriv dem i rätt form där de passar in. Några verb kan du använda flera gånger.

1 – Vad betyder det här ordet som jag har _____ här?

– 'Abdikera' betyder: säga att man inte vill vara kung eller drottning längre.

2 – När _____ Beatles _____ egentligen?

– Det var på 60-talet.

3 – Vet du vad som hände i går? – Nej. – När jag _____ och laga mat,

ringde telefonen. Kan du gissa vem det var? – Nej. – Det var statslotteriet. Jag hade

vunnit högsta vinsten! – Vad ska ni göra med alla pengar? – Jag vet inte. Jag och

min sambo _____ och diskuterar det. Vi har helt olika åsikt.

4 – Vi har köpt en ny lägenhet? – Är det sant? – Ja, allt är klart, men vi har

inte _____ pappren än. Men vi _____ om priset.

– Vad bra!

5 – Middagen är klar! – Kan du duka? – Nej, jag har ingen lust.

– Varför kan du aldrig _____ med någonting?! – Jag är trött på att

göra allt här hemma.

6 – Var är mjölken? – Jag har _____ den i kylskåpet.

9

1 Verb: tycker, tänker, tror

tycker om = gillar
tycker = har en åsikt/värdering/erfarenhet
tror (på) = tror att någon/något finns/är sant/har rätt
tror = vet inte säkert/har ingen erfarenhet
tänker (på) = fokuserar tankarna på någon/något
tänker (+ infinitiv) = planerar

Skriv *tycker*, *tänker* eller *tror* i rätt form där de passar in.

A – Vad _____ du på?
   1

– Inget speciellt.

– Jo, det är klart att du gör. Alla _____ alltid på något.
   2

– Okej, då. Jag undrar om du _____ om min katt.
   3

– Din katt? Jag _____ inte på att du _____ på den.
   4   5

– Nähä.

– Du är så tyst. Jag _____ att vi borde prata mer med varandra.
   6

– Vad _____ du att vi ska prata om då?
   7

– Tja, vi kan ju börja med att prata om vad du brukar _____ på.
                                                        8

B 1 – Innan jag flyttade till Sverige _____ jag att man inte kunde gå ut
   1

på vintern.

– Nähä! Är det sant?

– Javisst. Men nu _____ jag att vintrarna här är härliga!
   2

2 – Jag _____ att Per ser lite ledsen ut.
   1

– Ja, jag håller med. Jag _____ att han är deprimerad.
   2

3 – Vad _____ du göra när du har sålt huset?
   1

– Jag vet inte riktigt, men jag _____ att jag ska göra en skön resa.
   2

4 – Jag har ont i huvudet och halsen och jag _____ att jag har feber.

$_1$

– Oj då. Då _____ jag att du ska gå hem och lägga dig.

$_2$

C Skriv egna exempel med *tycker*, *tänker* och *tror*, minst två meningar ✏️
med varje verb.

2 Adjektiv: superlativ bestämd form

Nordens brantaste berg- och dalbana
i trä …
Sveriges längsta väg …

ADJEKTIV
Regelbundna adjektiv (som slutar på
-ast i superlativ): -e på slutet.

Specialadjektiv (som slutar på
-st i superlativ): -a på slutet.

En av de mest sedda svenska filmerna …
Klassens mest motiverade elev …

PERFEKT PARTICIP
Perfekt particip: 'mest' + bestämd form
av participet

Den mest fascinerande filmen …

PRESENS PARTICIP
Presens particip: 'mest' + participet

Den mest praktiska apparaten är …

**LÅNGA ADJEKTIV OCH ADJEKTIV
SOM SLUTAR PÅ -ISK**
Långa adjektiv och adjektiv som slutar på -isk:
'mest' + bestämd form av adjektivet

Skriv adjektivet och substantivet i rätt form.

1 Karin tycker att Silvia är Sveriges _____.
(vacker kvinna)

2 På Klubb Havanna spelar de den _____, tycker jag.
(bra musik)

3 – Vet du hur lång världens _____ är?
(lång man)

4 Charlie är den _____ på kursen.
(duktig elev)

5 Han har alla rätt på de _____.
(många prov)

6 Filmtidningen har en lista över världens _____ .
   (dålig film)

7 Många tycker att Arkitekthögskolan är Stockholms _____ .
   (ful byggnad)

8 Årets _____ är runt midsommar.
   (lång dag)

9 Christina tycker att kinesiska är det _____ i världen.
   (fascinerande språk)

10 – Är blodpudding den _____ man kan äta?
   (billig mat)

Till sist

3 Ordbildning: adjektivmotsatser

Ett vanligt prefix för att bilda motsatser av adjektiv och adverb är
'o -' som i t ex trevlig – otrevlig.

A Skriv motsatserna till adjektiven och adverben i rutan.
   Kontrollera att du förstår orden.

medvetet	möjlig	vanlig
trevlig	van	kontrollerat
ärlig	sannolik	seriös
skyldig		

B Skriv motsatserna till orden i rutan här ovanför på rätt plats
   i meningarna här nedanför.

1 Jag vill inte göra affärer med den mannen. Han verkar vara _____ .

2 Man ska inte alltid tro på det Maj berättar. Hon är _____

   och ljuger ibland.

3 Jag tror att jag råkade kasta ett viktigt kvitto. Det var verkligen inte meningen,

   jag gjorde det helt _____ .

4 Hunden försöker se _____ ut, men jag är säker på att det

   var han som åt upp alla köttbullar.

5 Historien som Magnus berättade var helt _____ . Ingen människa

   kan tro på den.

6 Arne säger alltid precis vad han tycker. Han kan faktiskt vara ganska

_____ mot andra.

7 Vad meningen med livet är? Den frågan är _____ att

svara på, tycker jag. Har du något svar?

8 När Annika var ute i skogen för att plocka blåbär i går stötte hon på

en stor björn. Hon fick panik och började skrika _____.

Som tur var vände björnen och lufsade därifrån.

9 Felipe bor i Sverige nu. Han är _____ vid ljusa nätter,

så han har svårt att sova på sommaren.

10 Den här bilen är mycket _____. Det finns bara ett tiotal

exemplar av den i Sverige.

4 C-test

Läs texten och fyll i det som saknas.

Det hände en jättehemsk sak med en kompis till pappas kollega en gång. Han vaknade all-

deles ensam på ett okänt hotellrum och mådde mycket dåligt. H_____ kände
                                                                              1

s_____ yr o_____ illamående.
         2   3

Dör_____ till ru_____ var lå_____ så man
          4   5   6

_____kunde in_____komma u_____.
       7   8   9

Han rin_____ till nå_____ kompisar s_____ kom
          10   11   12

t_____ hotellet. Komp_____ hittade man
       13   14

_____blödande p_____ golvet. D_____ såg
       15   16   17

a_____ någon ha_____ sytt de_____ kompis i
       18   19   20

ryg_____. De to_____ honom ti_____ sjukhus.
       21   22   23

P_____ sjukhuset uppt_____ de att någon hade stulit en av hans
       24   25

njurar. Senare hörde de av läkarna att det inte var första gången det hände. Det var en inter-

nationell liga som hade specialiserat sig på att stjäla och sälja organ. Läskigt, eller hur?

5 Partikelverb

Välj partikelverb ur rutan och skriv dem i rätt form där de passar in.

> sticker iväg hittar på håller reda på tar av sig
> har inget emot
>   låter bli äter upp tar till
>   stöter på

1 Min mormor har ett problem. Hon kan inte _____ sina
  1

glasögon. Hon _____ dem och kommer sedan inte ihåg var
  2

hon har lagt dem. Nu har hon _____ ett sätt att lösa proble-
  3

met. Varje gång hon lägger ifrån sig glasögonen säger hon högt till sig själv: "Nu

lägger jag mina glasögon på köksbordet" till exempel. Då glömmer hon inte.

2 Christer är pappaledig nu. Hans problem är att han börjar bli tjock. Det beror på

att han inte kan kasta mat. När sonen äter blir det alltid mat kvar på tallriken och

Christer kan inte _____ att _____ upp
  1   2

resterna. Christers sambo tycker att det är äckligt, men Christer

_____ att äta någon annans matrester.
  3

3 Maria och Peter _____ en gammal vän när de var på semester i
  1

Australien. De hade inte sett vännen på många år. Han _____
  2

till Australien efter en skandal på jobbet för tio år sedan. Han

_____ en lögn för att komma ifrån allting. Han sa att han
  3

hade en nära släkting som var mycket sjuk i Australien.

6 Verb: repetera presens particip

Bilda presens particip av verben i rutan och skriv dem där de passar in.

> avslöjar påstår ler tror flyter
>   skiner
>   beter (sig)   underhåller leker
>   skrämmer

1 – Brukar din man följa med dig till kyrkan på söndagar?

– Nej, han är inte _____. Han kallar sig själv ateist.

2 – Har du sett filmen "Blodiga sommarnatt"?

– Nej, är den bra?

– Ja, men väldigt _____. Jag kunde inte sova på hela natten för

jag var så rädd när jag hade sett den.

3 – Talar du franska?

– Ja, jag pratar faktiskt _____. Jag har nämligen bott i Paris

i många år.

4 – Tycker du om din nya chef?

– Jodå. Men jag tycker att hans _____ är lite falskt, ögonen skrattar

inte när han ler.

5 – Vad gjorde du i går?

– I går? Då satt jag och njöt av solskenet i parken och tittade på alla

_____ hundar.

6 – Ska det inte vara ett frågetecken här?

– Nej, det är ju ett _____, inte en fråga.

7 – Oj, vad fin bilen var! Har du tvättat den?

– Ja och jag har vaxat den också. Jag tycker om när den är alldeles

_____ ren.

8 – Vet du att de ska skjuta vargen som lever här i närheten?

– Jaså. Varför då?

– Jo, de tycker att vargens _____ inte är riktigt normalt. Den är

visst ovanligt aggressiv.

9 – Visst är Sten rolig?

– Ja, verkligen. Och alla hans historier från olika resor är så _____.

10 – Har du läst tidningen i dag?

– Nej. Står det något speciellt?

– Ja, det står bland annat om polisens _____ av en stor narkotikaliga

i Sverige.

7 Ordbildning: verb till substantiv

A Skriv de substantiv som man kan bilda av verben. Använd ordbok som hjälp.

1 bevisar _____

2 leker _____

3 påminner _____

4 berättar _____

5 snattar _____

6 kopplar _____

7 försöker _____

8 blåser _____

9 ljuger _____

10 undersöker _____

B Skriv egna exempel med verben eller substantiven från övning A.

8 Hjälpverb

Min fru tycker att det är ganska skönt att slippa gå ut tidigt på morgonen.
Nu hinner hon äta frukost i lugn och ro.
Den kan explodera om någon råkar sätta på mikron.
Kvinnan vågade inte berätta för grannfrun vad som hade hänt.

Slipper = behöver inte (någon annan/något annat tar bort kravet/tvånget)
Hinner = har tid
Råkar = gör något omedvetet/oplanerat/inte med vilja
Vågar = är inte rädd att göra något
Vågar inte = kan/vill inte göra något på grund av rädsla

Välj verb ur rutan och skriv dem i rätt form där de passar in. Du kan använda verbet flera gånger.

vågar   råkar   hinner   slipper

1 – Vet du vad jag har gjort? Jag _____ backa in i en stolpe med

   pappas bil. Bilen är helt förstörd nu. Jag _____ inte berätta det

   för honom. Han kommer att bli jättearg!

2 – Vår lärare är sjuk. Tror du att vi _____ skriva provet i dag?

   – Jag hoppas det. Jag _____ kasta ett par viktiga papper, så jag

   är inte alls förberedd.

3 – _____ du hjälpa mig en liten stund?

   – Javisst. Vänta en minut bara.

4 – _____ du gå hem genom parken när det är mörkt?

   – Ja, absolut. Det är inte alls farligt.

5 – Min fru och jag har så mycket att göra. Vi _____ inte städa.

   Det ser hemskt ut hemma hos oss nu!

   – Varför skaffar ni inte en städhjälp. Då _____ ni ju städa.

10   1 Verb: s-passiv

> Ett japanskt företag presenterade idén till ett rymdhotell.
>
> Man äter semlor under fastan.

> Idén till ett rymdhotell presenterades av ett japanskt företag.
>
> Semlor äts under fastan.

AKTIV		PASSIV
objekt	←→	subjekt
subjekt	←→	av + agent
man	←→	- - -
verb	←→	verb + s

	INFINITIV	PRESENS	PRETERITUM	SUPINUM
1	presenteras	presenteras	presenterades	presenterats
2a	byggas	byggs	byggdes	byggts
2b	sänkas	sänks	sänktes	sänkts
3	strös	strös	ströddes	strötts
4 it	hållas	hålls	hölls	hållits
4 oreg.	göras	görs	gjordes	gjorts

SPECIAL

Imperativ slutar på -s: läs: läsas, läses, lästes, lästs.

Imperativ slutar på -r: kör: köras, körs, kördes, körts.

A Stryk under alla verb i passiv form i texten Semlor.

Exempel:

Semlor <u>äts</u> under fastan.

Semlor

1 En deg görs av vetemjöl, mjölk, ägg, socker och jäst.

2 Bullar formas.

3 De gräddas i ugnen.

4 Ett lock skärs.

5 Grädde vispas.

6 Bullarna fylls med mandelmassa och grädde.

7 Locket läggs på.

8 Florsocker strös över.

9 Semlorna äts med varm mjölk.

B Skriv om meningarna från passiv till aktiv form.

Exempel:

Semlor äts under fastan

> Man äter semlor under fastan.

C Skriv om meningarna från övning B i imperativ.

Exempel:

Semlor äts under fastan

> Ät semlor under fastan.

D Skriv meningarna i passiv form med agent.

Exempel:

Många norrmän besöker Sverige.

> Sverige besöks av många norrmän.

1 Ryssarna sköt upp en satellit.
2 Japanerna planerade rymdhotellet.
3 von Platen konstruerade Göta kanal.
4 Många turister kommer att besöka Sverige i framtiden.
5 En kinesisk affärsman har betalat rymdfärden.
6 Faraonerna byggde pyramiderna i Egypten.
7 En mytoman har skrivit den här guideboken.
8 Ingenjörer har skapat gravitation.
9 Ett museum i Norge inspirerade Hazelius.
10 Gustav II Adolf beställde regalskeppet Vasa.

E Skriv meningarna i passiv form.
1 Man äter många semlor före påsk i Sverige.
2 Man säljer många deckare nuförtiden.
3 Man gör den bästa resan i fantasin.
4 Man löser en mordgåta.
5 Man kallar detta för morbidturism.
6 Man flyger in varor från hela världen.
7 Man drack bara vatten under fastan.
8 Man har byggt en exakt kopia.
9 Hur bildar man s-passiv?

2 Substantiv: bestämd och obestämd form

Den första rymdturistbyrån ... Då gick företaget i konkurs.

Ordet 'företag' står i bestämd form här ovanför eftersom det här är synonymt med 'rymdturistbyrån' (bestämd form för "gammal information").

I en jättestor sportarena skulle turisterna utöva olika sporter, bl a simning och fotboll. Det är oklart hur man hade tänkt sig att vattnet skulle hållas på plats utan gravitation.

Vatten står i bestämd form eftersom det kan associeras till simning: 'simning' → 'vatten'.

För den rymdturist som behöver förbereda sig finns numera böcker i ämnet.

I uttrycket 'den/det/de ... som' används ofta obestämd form.

Multimiljonären Dennis Tito.
Dennis Tito är multimiljonär.
Dennis Tito är en amerikansk multimiljonär.
Dennis Tito är ett geni.

Yrke, egenskap eller annan beskrivning i bestämd form + namn.
Efter verb, yrke, religion eller egenskap, obestämd form utan artikel *men* med adjektiv innan substantivet används obestämd artikel.
Vid värderande substantiv (t ex idiot, geni, dumhuvud) används artikel.

A Välj substantiv ur rutan och skriv dem i rätt form där de passar in.

en astronaut	en planet	en undersökning
en dag	en rymdbas	en väska
en färd	en rymdresa	ett firande
en fästman	en statsminister	ett resminne
en kapsel		

Mitt bästa reseminne

Ett av mina starkaste _____ är när jag åkte till Mars. Min pojkvän

Klas som är astronaut, hade precis kommit tillbaka från _____.

Han hade varit på månen. När han kom tillbaka ville många fira honom, bl a

_____. Festen på stadshuset var fantastisk.

_____ varade fram till morgonen. Men nu skulle vi på semester.

Vi tog en taxi direkt till _____. _____ låg

redan färdigpackade i rymdfärjan. Vi satte oss till rätta i _____

och när vi hörde startraketerna vråla så kände jag wow, vilket äventyr.

_____ till Mars tog några år. Att landa där var fantastiskt. Vi var

faktiskt de första människorna på _____ Mars. Vi stannade där

några dagar. De sista _____ var stressiga för vi var tvungna att ta

en massa prover och göra olika _____. Jag kan absolut rekom-

mendera en resa till Mars. Den som funderar på att åka dit bör absolut göra slag i

saken.

B Välj ord ur rutorna och skriv dem i rätt form där de passar in.

> en kvinna   en man

1 Jag känner ett par där _____ är turistguide och
                                         1

  _____ är översättare.
         2

> ett badrum   ett tak   en teknik
> ett kök   ett sovrum   en säng

2 Jag har en trevlig lägenhet som är mycket modern. _____ har
                                              1

  all den senaste _____ och _____ har golvvärme.
                          2   3

  I _____ har vi en teve i _____ så vi kan ligga i
             4   5

  _____ och titta på teve.
         6

> en efterrätt   en guide   ett hotell   ett vatten   ett väder
> en fisk   en mat   ett kött   ett rum

3 En gång åkte jag till Mallorca på charterresa. Det började bra.

  _____ var trevlig och _____ fint.
         1   2

  Men _____ var inte god. Första kvällen fick vi lokala specialiteter.
               3

  _____ var segt och _____ var inte färsk.
         4   5

  _____ var söt och god i alla fall. Nästa dag var _____
         6   7

  jättedåligt. Det regnade och _____ var kallt. Vi satt inne och tittade
                                     8

  på teve på _____ .
            9

3 | Satsadverb: 'ju'

– Vill du gå ut på en promenad?
– Nej, det regnar ju.

> 'Ju' är ett satsadverb och är alltid obetonat.
> 'Ju' använder man för att visa att man vet att
> det inte är ny information för läsaren/lyssnaren.

– Varför är du inte i skolan i dag?
– Vi har ju påsklov!
– Ja, just det. Nu minns jag.

> 'Ju' används också för att visa att
> man tycker att det inte *borde* vara ny
> information för läsaren/lyssnaren.

– Varför är du så arg på mig?
– Du fattar ju ingenting.
– Du fattar ingenting, ju!

> 'Ju' används för att betona något,
> speciellt ett omdöme. I talspråk
> också sist i en fras.

Sätt in *ju* där det passar i följande dialoger.

1
– Ska vi gå på klubb 84 i morgon?
– Då är det söndag. De har stängt då.
– Äsch. Jag trodde det var fredag i dag.

2
– Varför firar alla på gatorna?
– Vi har vunnit fotbolls-VM.
– Jaha. Det visste jag inte.
– Du lever helt i din egen värld!

3
– Har du lust att gå på teater på tisdag?
– Nej, det går inte. Då ska vi på fest.
– Ja, just det. Det hade jag glömt.
– Du glömmer allt!
– Ja, jag ska försöka bättra mig.

4 | Ordkunskap: sinnen

Sortera orden i rutan i rätt kolumn. En del ord kan passa i fler kolumner.

besk	ett buller	höra	lyssna	salt	stinka	titta på
dofta	ett ljud	kall	mjuk	se	sträv	varm
en blick	ett oväsen	kika på	mörk	se ... ut	sur	äcklig
lukta	god	klar	observera	slät	söt	
en lukt	hård	känna på	röra vid	smutta	ta på	

Exempel:

SYN	DOFTSINNE	HÖRSEL	KÄNSEL	SMAK
				besk

Till sist

5 | Ordkunskap: partikelverb – motsatser

A Fortsätt listan över motsatserna med hjälp av verben i rutan.
   Det finns 5 verb för mycket.

fyller i	stänger in
monterar ner	suddar ut
röstar ner	åker/går iväg
stressar upp sig	

Exempel:

argumentera för	*argumentera emot*
loggar ut	*loggar in*
flyger in	*flyger ut*

1 kommer tillbaka _____

2 skriver ner/upp _____

3 släpper ut _____

4 kopplar av _____

5 gröper ur _____

6 bygger upp _____

7 röstar fram _____

B Välj bland partikelverben i övning A och skriv dem i rätt form där de passar in.

1 _____ den här blanketten, tack.

2 Anette är flygrädd och _____ när hon ska flyga.

3 Bilar och flyg _____ mycket koldioxid.

4 Caroline _____ sin hund i köket när hon går

   hemifrån för att den inte ska äta upp kuddarna i soffan.

5 Den gamla regeringen var impopulär och folket _____

   ett nytt parti vid valet.

6 Det här är viktigt, _____ det så att du inte

glömmer det.

7 Efter en period av diktatur tar det lång tid att _____

demokratin igen.

8 Alla var så trötta på Ulf. Han kunde aldrig acceptera vad andra människor sa

utan _____.

9 För att flytta bokhyllan var vi tvungna att _____ den i
delar.

10 Åh, jag har glömt mitt lösenord, jag kan inte _____.

11 När man gör fyllda tomater så måste man först _____

dem.

12 När Paula är på landet kan hon verkligen _____.

13 Sjutton också, jag glömde _____. Nu kan

någon läsa mina mejl. Usch.

14 Ingen var nöjd med förslaget så de _____ det

på mötet.

6 Sammansatta ord

Gör så många sammansatta ord som möjligt av orden i de två rutorna.
Gör gärna övningen muntligt för listan kan bli över 40 ord lång.

nöjes	stor
telefon	huvud
turist	lyx
barn	

bank	chef	katalog	pris
bilaga	familj	kryssning	resande
bolag	fält	kö	stad
bransch	försäljare	liv	svarare
centrum	information	person	

7 Repetition: verb, grupp 2

VERBGRUPP	IMPERATIV	PRESENS	PRETERITUM	SUPINUM
2a	fyll!	fyller	fyllde	fyllt
2b	besök!	besöker	besökte	besökt
2 special:	förstör!	förstör	förstörde	förstört

```
2 SPECIAL
Imperativ: -r
```

Skriv verbens alla former.

IMPERATIV	INFINITIV	PRESENS	PRETERITUM	SUPINUM
_____	_____	blåser	_____	_____
framför	_____	_____	_____	_____
_____	_____	följer	_____	_____
_____	_____	gröper	_____	_____
- - -	_____	händer	_____	_____
hör	_____	_____	_____	_____
inför	_____	_____	_____	_____
jämför	_____	_____	_____	_____
kör	_____	_____	_____	_____
_____	_____	lever	_____	_____
lär	_____	_____	_____	_____
_____	_____	löser	_____	_____
_____	_____	påminner*	_____	_____

* Bara ett n före d och t

11 ☐1 Pronomen:
personliga, possessiva och possessiva reflexiva

SUBJEKT	OBJEKT	REFLEXIVA	POSSESSIVA	REFLEXIVA POSSESSIVA
jag	mig, mej	mig, mej	min/mitt/mina	
du	dig, dej	dig, dej	din/ditt/dina	
han	honom	sig, sej	hans	sin/sitt/sina
hon	henne	sig, sej	hennes	sin/sitt/sina
man	en	sig, sej	ens	sin/sitt/sina
den/det	den/det	sig, sej	dess	sin/sitt/sina
vi	oss	oss	vår/vårt/våra	
ni	er	er	er/ert/era	
de	dem, dom	sig, sej	deras	sin/sitt/sina

Välj pronomen och skriv dem i rätt form där de passar in.
Ibland är olika alternativ möjliga.

1 Isak sitter och funderar på sitt liv:

– När man känner _____ lite ensam och olycklig blir

1

_____ glad om _____ mamma eller pappa ringer till

2   3

_____ . Det känns bra att veta att någon tänker på _____.

4   5

_____ försöker hålla kontakten med

6

_____ vänner, men det är inte alltid så lätt. _____ vänner

7   8

är så väldigt upptagna att de inte har tid med _____.

9

Men _____ ska väl inte oroa _____ så mycket.

10   11

_____ liv är ju ganska bra ändå.

12

2 Sven och Lena sitter och planerar helgen.

– På fredag kväll kan vi åka till _____ stuga på landet. Där kan

1

_____ bara lata _____ på fredag kväll. Sedan kan vi höra

2   3

med Anki om _____ vill komma över med _____ nya
                  4   5

sambo och äta middag med _____ på lördag. _____ kan
                6   7

sova över i _____ gästrum.
            8

3 Cecilia skriver ett mejl till sina föräldrar.

Hej mamma och pappa,

Hur mår _____? Vad kul det ska bli att resa tillsammans i sommar!
           1

Har ni tittat på länken som jag skickade till _____ förra veckan? Där
                  2

finns en massa fina semesterhus man kan hyra i Italien. Jag pratade med Kicki i går.

Hon vill gärna att _____ pojkvän följer med också. Går det bra? Kicki är
                3

alltid tillsammans med _____ . Hon kan nog inte klara
                  4

_____ två veckor utan _____ älskling.
       5   6

Vi hörs snart!

Kram

Cecilia

4 Ludvig ska börja läsa spanska och sitter och läser om studieteknik.

När man ska lära _____ ett nytt språk måste _____ tänka
                1   2

på många saker. Det tar lång tid, så _____ måste ha tålamod.
                                   3

_____ bör plugga en stund varje dag i stället för många timmar en dag.
       4

Man kan be _____ föräldrar eller kompisar om hjälp. De kan till exem-
                5

pel fråga _____ om nya ord. När _____ berättar för andra
         6   7

aktiveras _____ hjärna och _____ minns bättre sedan.
            8   9

Lycka till med studierna!

2 Verb: är/blir + perfekt particip

> Chefen är bortrest på semester.
> 13 av kollegerna blev förgiftade och måste uppsöka sjukhus.

Är + perfekt particip har fokus på ett tillstånd eller resultat.

Blir + perfekt particip har fokus på en händelse eller förändring.

Blir + perfekt particip kan oftast bytas ut mot s-passiv: 13 av kollegerna förgiftades och måste uppsöka sjukhus.

A *Är* eller *blir*? Skriv verben i rätt form där de passar in.

1 Tavlan i sovrummet _____ målad av en kusin till mig.

2 I går _____ jag stoppad av polisen. Mitt cykellyse var trasigt.

3 _____ teven reparerad nu?

4 Kajsa _____ överraskad när hon fick blommorna.

5 Alla tror att mannen kommer att _____ dömd till fängelse för rånet.

6 Vår chef har _____ mycket irriterad hela veckan. Vet du varför?

7 Vi skulle gå på bio i går, men alla biljetter _____ slutsålda.

8 När jag kom tillbaka till hotellrummet i eftermiddags _____ det

   fortfarande inte städat.

9 Huset _____ ommålat förra året.

10 Den här restaurangen _____ känd för sina fantastiska fiskrätter.

B Byt alla s-passiv i texten här nedanför till bli + perfekt particip.

   I förrgår stals en mycket värdefull tavla från Nya museet. Larmet gick
   och polisen var snabbt på plats. En misstänkt man stoppades av polisen
   på kvällen. Mannen var på väg till flygplatsen med en stor väska. Mannen
   förhördes under kvällen och senare häktades han. Om han är skyldig
   kan han dömas till ett långt fängelsestraff.

3 Verb med -s

Bilen stals i går kväll.

s-passiv

Två ungdomsgäng träffas ute på stan. (= De träffar varandra.)
De två börjar slåss. (= De slår varandra.)

RECIPROKA VERB
Reciproka verb är
intransitiva (de
har inte objekt).

Knutte blöder kraftigt och slutar andas.
… att hon inte minns något av händelsen.

DEPONENS
Deponensverb
slutar alltid på -s.

Akta dig för hunden. Den bet mig i går. Den bits ofta.
Vi har problem med lille Putte på dagis. Putte slog Olof i går. Han slåss ofta.
Lasse-Maja lurade många människor. Han var duktig på att luras.

En del verb som beskriver en aktiv handling
(t ex bita, lura, reta, slå) kan med -s bli intransitiva.

A Titta på de understrukna verben i meningarna här nedanför.
Är de *deponens*, *reciproka* eller s-*passiv*?

1 – Jag hoppas att det går bra på provet i morgon. Just nu är jag lite nervös,
jag minns nämligen ingenting.

2 Frågan om parkeringsplatser för personalen diskuterades länge på mötet.

3 – Hej då! Vi hörs i morgon.

4 Oscar och Sara tycker om att sitta och kramas i soffan.

5 – Jag måste ringa min morbror och fråga hur han mår. Han opererades i måndags.

6 – Min sambo och jag träffades första gången på en resa till Indien.

7 – Usch, jag åt ett ostron som var dåligt. Jag har kräkts hela natten.

8 – Vårt fritidshus måste målas i sommar. Fy, vad jobbigt!

B Skriv in de understrukna verben från övning A på rätt plats i uppställningen här nedanför. Skriv också de andra formerna av verben.

Exempel:

DEPONENS

INFINITIV	PRESENS	PRETERITUM	SUPINUM
hoppas	*hoppas*	*hoppades*	*hoppats*
_____	_____	_____	_____
_____	_____	_____	_____

RECIPROKA VERB (INTRANSITIVA)

INFINITIV	PRESENS	PRETERITUM	SUPINUM
_____	_____	_____	_____
_____	_____	_____	_____
_____	_____	_____	_____

S-PASSIV

INFINITIV	PRESENS	PRETERITUM	SUPINUM
_____	_____	_____	_____
_____	_____	_____	_____
_____	_____	_____	_____

C Välj verb ur rutan och skriv dem i rätt form med eller utan 's' där de passar in.

> slår   sparkar   skiljer   biter   slår   skrämmer   träffar

1 Gå inte för nära hästen. Den är elak och _____.

Och en gång _____ den mig i armen. Jag fick ett stort märke efter tänderna.

2 I går _____ jag en gammal kompis från skoltiden. Hon berättade att hon och hennes man ska _____. Tråkigt!

3 En gång försökte min lillasyster _____ mig med en stor, äcklig spindel. Jag blev så arg att jag _____ henne hårt i magen.

D Skriv en liten historia där du använder så många av deponensverben i rutan här nedanför som möjligt.

> fattas   finns   låtsas   skäms   umgås
> lyckas   misslyckas   svettas   trivs

4 Tempus: konditionalis

Om jag vann 100 000 kronor skulle jag resa jorden runt.
= Vann jag 100 000 skulle jag resa jorden runt.

NU

Om jag hade gift mig med Carlos skulle jag ha flyttat till Spanien.
= Hade jag gift mig med Carlos skulle jag ha flyttat till Spanien.

EFTER

Skriv fortsättning på meningarna.

1 Om jag hade …
2 Om jag kunde …
3 Om jag fick …
4 Om alla människor …
5 Om jag inte hade börjat läsa svenska …
6 Om det hade varit 30 grader varmt i dag …
7 Om jag inte hade gjort den här övningen …

B Gör egna meningar med konditionalis.

Till sist

5 Ord: verb

Välj verb ur rutan och skriv dem i rätt form där de passar in.

```
snattar     misshandlar    skattefuskar    smugglar

rånar          förfalskar      stjäl          langar
```

1 I går grep polisen två tjuvar utanför ett stort varuhus i city. Tjuvarna hade

   _____ ett femtiotal exklusiva klockor.

2 En äldre man stoppades i tullen i går. Han försökte

   _____ in en mindre mängd cannabis.

3 Polisen gjorde kontroller utanför Systembolaget i fredags. De ville kontrollera att

   ingen _____ alkohol till ungdomar under 20 år.

4 Två maskerade män _____ banken på Lilltorget

   i förmiddags. De försvann från platsen med en miljon i kontanter.

5 Ett ungdomsgäng _____ en ensam man på

   Prinsgatan natten till lördagen. Mannen fördes till sjukhus med svåra skador.

6 Allt färre svenskar _____ när de deklarerar.

   Statens skatteinkomster har ökat med 18% det senaste året.

7 Två småflickor upptäcktes av en kassörska när de försökte

   _____ var sin chokladkaka.

8 Polisen misstänker att en grupp pensionärer har försökt

   _____ tusenkronorssedlar. Hos en av

   pensionärerna hittade man en mycket avancerad kopieringsmaskin.

6 Ord: partikelverb

A Välj partikelverb ur rutan och skriv dem i rätt form där de passar in.

```
gå sönder    gå till    dyka upp    jobba över
gå under     ladda ner  gå åt
```

Jag är lite orolig för min vän Fia. Hon säger att hon aldrig kommer från kontoret förrän sent på kvällen eftersom hon måste _____ så ofta. Men jag vet att
                                              1
det inte är riktigt sant. All hennes kvällstid på kontoret _____ till att
                                                                    2
_____ musik och filmer från nätet. När jag frågade henne varför, sa hon
        3
att det bara är tillfälligt. Hennes dator hemma har nämligen _____. Hon
                                                                        4
ska laga den nästa vecka. Men jag förstår inte hur det ska _____. Jag
                                                                    5
tror att datorn är helt förstörd av olika virus. Jag sa till Fia att hon måste vara försiktig.

Tänk om chefen eller någon annan plötsligt _____ på kontoret på kvälls-
                                                    6
tid. Men Fia är inte orolig. Hon säger att världen inte _____ bara för att
                                                                7
hon använder jobbdatorn ibland. Hoppas att hon har rätt.

B Välj partikelverb ur rutan och skriv dem i rätt form där de passar in.

```
skriva ner   slå till   låna ut     söka upp   åka fast       lägga i
finns kvar   passa på   dra vidare  rusa in    bryta sig in   släppa in
```

Henrik ser i tidningen att en gammal klasskompis till honom, Simon, har blivit

en berömd filmregissör. Henrik har alltid drömt om att skriva filmmanus, så nu

funderar han på att _____ sin gamla kompis. Han kanske ska
                            1
_____ nu när det är filmfestival i stan. Då kommer säkert Simon att
        2
vara där för att lansera sin nya storfilm. Tänk om han kunde få diskutera sina planer

med Simon! Han ska _____ några olika idéer och ta med sig dem.
                            3
Henrik jobbar hårt hela veckan. Nu är det bråttom, i morgon är sista dagen på

festivalen. Han behöver en bil för att ta sig till stan. Han frågar sin mamma om

hon kan _____ bilen över helgen. Det är tio mil till stan. Henrik
            4

kör som en dåre för att hinna. Han hoppas att han inte ska _____
5

i en poliskontroll. När han kommer fram hittar han en parkeringsplats direkt.

Turen är med honom! Han _____ pengar i automaten och springer
6

till hotellet där stjärnorna bor. Utanför hotellet står en stor vakt som inte vill

_____ Henrik. Vad ska han göra? Henrik blir allt mer desperat.
7

Ska han _____ vakten hårt i magen och sedan bara _____
8   9

på hotellet? Nej, han ber vakten snällt: "Snälla, jag måste få tala med Simon

Hallström. Jag är en gammal vän till honom. Det är viktigt, det handlar om hans

familj." Vakten tittar lite vänligare på honom och säger: "Tyvärr. Simon Hallström

har redan _____ till nästa filmfestival. Till Cannes, tror jag."Det är kört",
10

tänker Henrik. Jag kommer aldrig att bli en stor manusförfattare. Han går

sakta tillbaka till bilen. Där väntar en otrevlig överraskning. Någon har

_____ i bilen och tagit allt som fanns där: dator, väska, cd-spelare ...
11

Ingenting _____. Vilken dålig dag!
12

7 | Statistik

Skriv meningar om statistiken.

Exempel:

> Nästan hälften av kvinnorna i Sverige ringer privatsamtal på arbetstid.
> Siffran för männen är något lägre, 40 procent.

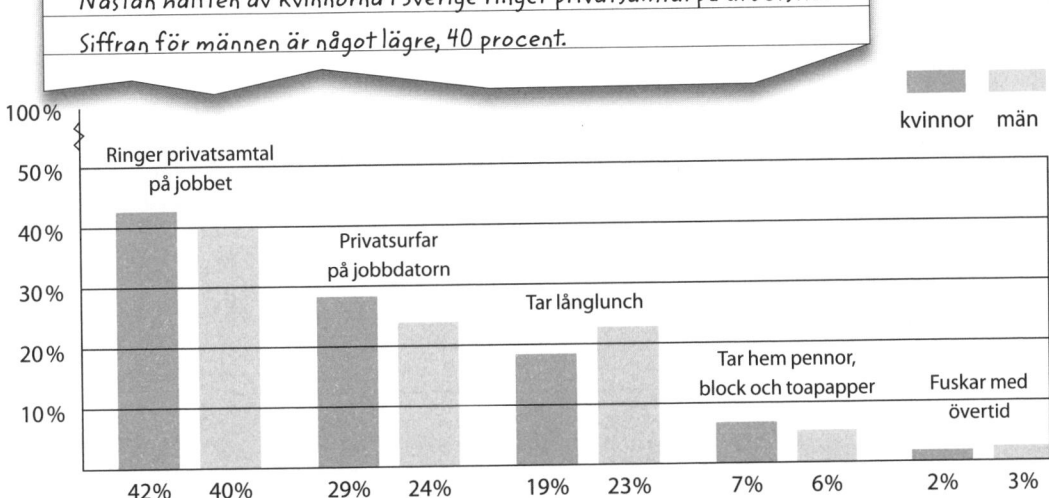

1 Satsadverb: 'nog', 'väl', 'ju'

> – Jag har vunnit på lotto!   – Då är du väl glad?/
> – Då är du glad, va?

> 'Väl' är ett satsadverb och är alltid obetonat. 'Väl' använder man för att
> göra ett påstående till en retorisk fråga (talaren tror att han eller hon vet
> svaret). Synonymt till 'väl' är 'va' i slutet på frasen (bara i talspråk).

> Du kommer väl på festen?! Det blir så tråkigt utan dig.

> 'Väl' kan också användas för att talaren vill visa att hon hoppas på något.

> Jag kommer nog inte att trivas.

> 'Nog' är ett satsadverb och är alltid obetonat.
> 'Nog' betyder "troligen" (synonymer troligtvis, förmodligen, antagligen).

> Arbeta degen väl så blir bullarna saftiga (i ett recept).
> Du jobbar väl mycket (= för mycket).
> – Maja har alltid så fina kläder. – Ja, hon är verkligen välklädd.
> – Kan jag inte få lite mer godis? – Nej, nu är det nog, du får inget mer godis i dag.

> Om 'nog' och 'väl' är betonade har de en helt annan betydelse:
> 'väl' betyder "bra"/"mycket" eller för mycket och 'nog' betyder "tillräckligt".
> 'Väl' används också som prefix.

A Gör om till fraser med *nog* eller *väl*.

Exempel:

Jag tror att han kommer.

Han kommer nog.

1 Jag hoppas att du kommer på middagen i morgon.
2 Jag tror att det blir regn i morgon.
3 Jag hoppas att du inte är arg på mig.
4 Peter är ganska duktig på att segla, va?
5 Annette har lagat en god middag, tror jag.
6 Troligtvis blir det ganska jobbigt att simma 3 kilometer.
7 Jag är ganska säker på att du aldrig har dansat samba.
8 Du är längre än mig, tror jag.*
9 Jag hoppas att du hälsar på oss på landet.
10 Det här var det jobbigaste loppet som jag har sprungit, tror jag.

* Många tycker att det är mer korrekt att säga så här: Du är längre än jag, tror jag.
   Men språkvetare säger att båda fraserna är korrekta.

B Repetera *ju* från kapitel 10. Kombinera fraserna.
   Det finns en fras för mycket för varje grupp i högerspalten.

1 **1** Petra ska ju hoppa bungy
jump i morgon.
2 Petra ska väl hoppa bungy
jump i morgon?
3 Petra ska nog hoppa bungy
jump i morgon.

a Eller hur?
b Du sa att det är säkert.
c Hon har inte bestämt sig än,
men jag tror att hon kommer
att göra det.
d Det vet du också.

2 **1** Olof mår nog inte så bra.
2 Olof mår ju inte så bra.
3 Olof mår väl inte så bra?

a Det visste du inte.
b Du kanske vet eftersom du träffade
honom i går.
c Han har inte varit på jobbet på hela veckan.
d Som du vet är han sjukskriven tre veckor.

3 **1** Ulrika ska ju snart segla jorden runt.
2 Ulrika ska nog snart segla jorden runt.
3 Ulrika ska väl snart segla jorden runt?

a Hon har precis lärt sig segla.
b Kommer du inte ihåg det!
c Men hon har inte bestämt sig än.
d Är det inte i juli hon ska åka?

C Skriv 2–3 små dialoger med *nog, väl* och *ju*.

2 Tempus: presens perfekt för framtid

– Jo, vi får se hur det blir, när vi har flyttat dit.

I temporala bisatser använder vi presens perfekt för en handling som kommer att var avslutad vid en specifik punkt i framtiden.

A I vilka fraser används presens perfekt för framtid (efter NU)?

1 Jag har aldrig hoppat fallskärm.
2 När jag har gått i pension ska jag hoppa fallskärm.
3 Innan vi har lärt oss simma bättre kan vi inte vara med i Vansbrosimmet.
4 När jag har studerat thai i ett år hoppas jag att jag klarar mig ganska bra.
5 Petra har varit i Thailand många gånger.
6 Ulf har simmat Vansbrosimmet tre gånger.
7 Efter att vi har simmat, ska vi bada bastu, för vattnet är kallt.
8 När Petra har hoppat bungy jump ska hon dricka champagne för att fira.
9 Du får inte slappna av förrän du har kommit i mål.

B Skriv egna meningar med presens perfekt som futurum.
  Börja med de här subjunktionerna.

  När jag har ...   *Innan* jag har …   *Efter* att jag har ...

3 Ordkunskap

Välj ord ur rutan och skriv dem i rätt form där de passar in.
Det finns två ord för mycket.

anpassar sig	förlåtande	lustig	uppfostrar
en hemlängtan	gradvis	undviker	upplever
en värdering	nygammal	nedstämd	överens

1 Om man lever länge hinner man _____ många både

  roliga och tråkiga saker.

2 När man kommer ny till en arbetsplats kan det vara lämpligt att försöka

  _____ till de rutiner som gäller.

3 När man är tillsammans med någon är det viktigt att inte döma den andra

  personen. Det kan fungera bättre med en _____ attityd.

4 När man tycker att samma saker är rätt och fel har man samma

    _____.

5 Om man vill åka till eller tänkte mycket på det ställe där man vanligtvis

bor har man _____.

6 Om man försöker att inte göra en sak, _____ man

den saken.

7 Om något händer _____ händer det lite i taget.

8 När något är både nytt och gammalt är det _____.

9 När man tycker samma sak om något är man _____ om det.

10 När man _____ barn lär man dem hur livet fungerar.

4 Jämförelser

Vi kommer från olika kulturer.   Min kultur är annorlunda än din kultur.
Vi har olika bakgrund.   Du har annorlunda bakgrund än jag.

'Olika' används för att jämföra flera saker.
'Annorlunda' används för att skilja en sak från andra saker.

Sverige är ganska likt Norge på många sätt. Sverige liknar Norge.
Men Sverige är inte lika dyrt som Norge.
Norge och Sverige hade samma kung under unionstiden.
I dag har länderna liknande statsskick.

– Oj, vi har samma tröja i dag. – Hmm. De är likadana i alla fall.

'Lik' – 'likt' – 'lika' betyder samma sak som verbet 'liknar'.
'Lika' används också framför adjektiv.
'Samma' och 'likadan/t/a' betyder nästan samma sak men 'samma' betyder
ofta "exakt samma sak" medan 'likadan' betyder "olika saker med samma
egenskaper" (ibland är de synonymer).
'Liknande' betyder "nästan lika"!

A Välj något av orden för jämförelser och skriv dem i rätt form där de passar in.
Ibland kan flera alternativ vara rätt.

1

– Har du fortfarande ont i huvudet?

– Ja, det gör fortfarande _____ ont.

– Stackars dig. Det var _____ för min bror. Han hade också

alltid ont i huvudet, på precis _____ sätt.

2

– Har du läst den här deckaren?

– Ja, den är bra men den _____ *Mördaren i skogen* för mycket.

– Det är precis _____ historia, bara med andra huvudpersoner.

– Vad trist! Jag letar efter någon _____ deckare, någon som inte
är som alla andra.

– Då ska du läsa *Kniven under kudden*. Den är jättespännande.

3

– Vilken kyla!

– Ja, fast det är inte _____ kallt som i går.

– Nej, det är sant. Fast det är _____ hemska vind.

4

– Första gången jag skulle segla gick det inte alls bra. Jag hade vindsurfat tidigare
och trodde att det var _____ sak.

– Nej, att segla och att vindsurfa är helt _____ saker.

– Jo, jag märkte att segling är _____ än vindsurfning.

Man måste tänka på ett annat sätt.

5

– Hur många syskon har du?

– Jag har två helsyskon. Vi har _____ mamma och pappa.
Sedan har jag tre halvsyskon. Vi har _____ mamma
men _____ pappor.

B Skriv 8–10 egna fraser med orden för jämförelser.

5 Ordkunskap

Välj ord ur rutan och skriv dem i rätt form där de passar.

en tävling	en distans
kul	tillåten
hinner	en våtdräkt
ett mål	jobbig(t)
en segrare	räcker
orkar	

1 Alla springer inte hela Stockholm maraton. De _____ inte.

2 Det tar ungefär en timme mellan start och _____

3 Det var inte tråkigt, det var _____.

4 Det är förbjudet. Det är inte _____.

5 Hur lång _____ ska vi cykla?

6 I en _____ kontrollerar man vem som är bäst

   eller snabbast.

7 Jag har inte tid. Jag _____ inte.

8 Jag var jättetrött efter Vasaloppet. Det var så _____.

9 Vi behöver inte simma längre. Det _____.

10 Han var snabbast och är _____.

11 Om man inte vill bli kall i vattnet kan man ha en _____.

6 Ord: gå

A Kombinera ihop två meningar där *gå* har liknande betydelse.

1 Jag går till skolan. Det tar 10 minuter.

2 När går tåget?

3 Hur snabbt går X2000?

4 Det har gått tre veckor sedan jag kom till Sverige.

5 Det går en intressant pjäs på Experimentteatern.

6 Går det att flyga till Mars?

7 Vi måste vandra sista biten för det går ingen väg fram till stugan.

8 Tröjan är för liten. Den går bara till naveln.

9 Vinterkräksjukan går på avdelningen.

10 Jag gick på bio i går.

11 Det går bra i skolan för Ulrik.

12 Jag tror att jag ska gå och lägga mig.

a Det gick dåligt på provet. Jag blev inte godkänd.

b Det gick många år innan jag lärde känna min svärmor ordentligt.

c Det går en båt ut till ön flera gånger i timmen.

d Det går en järnväg över Öresundsbron.

e Det går inte att lära gamla hundar att sitta.

f Bilen är trasig så vi måste gå till festen.

g Filmen Ondskan går bara på en enda bio.

h Kjolen krympte i tvätten så nu går den bara till knäna.

i Min bil går 150 km i timmen.

j Många är sjuka på jobbet. Det är nog influensan som går.

k Oj, vad hungrig jag är. Jag ska gå och se om det finns något att äta i kylskåpet.

l Vi måste gå på restaurang tillsammans någon gång.

B Skriv 12 egna meningar med de olika betydelserna av *gå*.

7 Repetera: presens perfekt och preteritum

– Har du simmat Vansbrosimmet? – Ja, jag gjorde det förra året.

– Har du gjort hela En svensk klassiker? – Nej, jag har bara hunnit med Vasaloppet och Vansbrosimmet. Vasaloppet åkte jag faktiskt förra veckan.

Presens perfekt använder vi när <u>resultatet</u> i NU är viktigt:

1 om en avslutad handling i ospecifik tid i DÅ (resultatet finns kvar)

2 om något som började i DÅ men fortsätter i NU

3 ofta tillsammans med nutidsadverb, t ex i dag, i år.

Preteritum använder vi när <u>tiden</u> i DÅ är viktig:

1 om en specifik tidpunkt eller tidsperiod i DÅ

2 om något som avslutades i DÅ (ibland utan tidsangivelse)

A Vilken av reglerna ovanför är de olika fraserna exempel på? Skriv pp1, pp2 eller pp3 (presens perfekt regel 1, 2, 3) eller p1 eller p2 (preteritum regel 1, 2) vid de olika fraserna.

Exempel:

– Har du varit i Amerika? __pp1__

1 – Ja, jag bodde där ett tag efter studenten. _____

2 – Hur länge har du bott i Sverige? _____

3 – Jag flyttade hit 2002. _____

4 – Har du gjort något kul på sista tiden? _____

5 – Ja, i helgen var jag på en hundutställning _____

6   och i går gick jag på bio med mina barnbarn. _____

7 – Usch, vad trist! Jag har gått så många kurser i italienska, _____

8   men jag har inte lärt mig språket än. _____

9 – Du var ju i Italien förra året. _____

10   Då pratade du väl mycket. _____

11 – Jo, det gjorde jag, _____

12   men i år har jag inte pratat någonting. _____

13   Jag har glömt allting. _____

B Kombinera fraserna till vänster med de rätta fraserna till höger.

1 Jag bodde i London för tjugo år sedan.   a Jag trodde jag skulle dö.

2 Jag har flyttat till London.   b Det ska bli spännande att prova.

3 Jag studerade i Stockholm efter gymnasiet.   c Det var på biologprogrammet.

4 Jag har läst svenska i två år.   d Det är underbart att bo här.

5 Jag hade en kompis som heter Peter.   e Jag åkte dit förra året igen.

6 Jag har träffat en tjej som heter Maria.   f Men nu är jag på bättringsvägen.

7 Jag har aldrig ätit surströmming.   g Nu älskar jag det.

8 När jag var liten åt jag aldrig surströmming. h Nästa år ska jag studera tyska.

9 Jag var jättesjuk tre veckor förra året.   i Tyvärr har vi ingen kontakt längre.

10 Jag har varit sjuk tre veckor.   j Vi har jätteroligt tillsammans.

13 1 Substantiv: obestämd form utan artikel

Har du papper och penna?

> Obestämd form utan artikel är vanligt vid samordning med konjunktionerna 'och' samt 'eller'.

dricker glögg och kaffe

> Oräknebara substantiv står utan artikel i obestämd form.

julhandeln slår rekord

> Det finns många fasta fraser där substantivet står i obestämd form. Substantivet är då betonat på samma sätt som en partikel i ett partikelverb.

Välj ord ur rutan och skriv dem i rätt form där de passar. Det finns ett ord för mycket.

> hunden
> barnet   pennan   bion
> pappret   lusten   frukten   jobbet
> lägenheten   godiset   katten   tiden
> humorn   kaffet   vägen   bullen

1

– Tjena hur är läget? Det var längesedan.

– Så där. Jag har varken _____ eller

_____.

– Oj då, var bor du då?

– Jag bor hos kompisar.

2

– Har du man och _____?

– Ehh. Jag är gift men har inte _____.

– Har ni husdjur?

– Ja, vi har både _____ och

_____.

3

– Kan vi få _____?

– Nej, inte i dag. Det är ju inte lördag. I dag får ni

_____ i stället.

4

– Har du _____ och _____

så att du kan skriva upp numret?

– Visst.

5

– Å! vad härligt att våren är på _____ nu.

– Ja, vi ska åka till landet i påsk. Det blir härligt att sitta i trädgården med

_____ och _____ i vårsolen.

Jag älskar att sitta utomhus och fika.

6

– Vill du gå på _____?

– Nej, jag har varken _____ eller

_____ att göra det i dag.

2 Ordkunskap

I meningarna 1–7 hittar du ord som passar in i meningarna a–g.
Skriv orden i rätt form.

1 Det är något fel på skorstenen så vi kan inte elda i kaminen.

2 För att måla behöver jag olika redskap, en pensel t ex.

3 I Sverige är de inte många som måste tigga för att få pengar till mat.

4 När jag var liten brukade jag gömma mitt godis så att ingen skulle kunna ta det.

5 På maskeraden hade alla masker på sig så jag kände inte igen någon.

6 På våren brukar vi bränna gamla löv och grannarna brukar klaga på röken.

7 Till barnkalaset gjorde vi kronor av papper som alla hade på huvudet.

a Den svenske kungen har ingen _____ på huvudet.

b Det fattas några _____ här i köket, visp t ex.

c Jag klädde ut mig till Kalle Anka och hade en _____

   för ansiktet.

d Vissa tror att tomten kommer genom _____.

e Vi hade massa gammalt skräp i trädgården som vi _____.

   Det blev en stor eld.

f Min hund är galen i skor. Vi måste _____ alla så att han

   inte äter upp dem.

g Mina barn _____ och bad om att få godis så till slut

   köpte jag en påse åt dem.

3 Ordkunskap: slang

Det kan vara bra att kunna lite slangord så att man förstår vad folk pratar om. Men var försiktig med att använda dessa ord själv. Det är svårt att veta i vilka sammanhang de passar och vilket stilvärde de har.

– Jag såg en asbra film i går. Den hette Sommarblod.
– Ja, den är skitbra. Magnus Karlsson är sjukt bra i den filmen.
– Och Jenny Rosengren är värsta snyggingen.

– Jag är mellanbarn. Jag har en äldre brorsa och en lillasyrra. Min morsa och min farsa är skilda. Min morsa har en ny kille. Vi brukar kalla honom extra farsa.

– Jag fattar inte alls hur man gör. Kan du förklara?

– Såg du matchen i går? Hanna Persson var så jäkla bra!

– Den här filmen var så rolig. Jag garvade hela tiden!

– Hör ni! Sitt inte och snacka. Jag hör inte vad de säger?

Men hallå! Är DU här?

Kombinera orden och ordgrupperna med rätt förklaring.

1 As-, skit-, sjukt och värsta

2 En farsa, en morsa, en brorsa och en syrra

3 Fattar

4 Jäkla/jävla

5 Garvar

6 Snackar

7 Hallå

a betyder förstår.

b betyder pratar.

c betyder skrattar.

d är familjeord.

e kan användas för att visa förvåning, glädje, irritation eller ilska.

f är ord och prefix för att förstärka något negativt eller positivt.

g är svordomar, alltså "fula ord" som man kan använda för att förstärka något.

4 Ordfölj: utrop

Vilken pinsam jul det var!
Å gud vad gulliga ni är!

UTROP
Vilken/vilket/vilka + (adjektiv) +
substantiv + (bisats).
Vad + adjektiv/adverb + (bisats).

A Gör utrop med *vad* eller *vilken* av orden under linjerna. Vissa ord måste böjas.
Orden med fet stil är huvudorden i frasen.

Exempel:
fina byxor/du/köpt/har

Vilka fina byxor du har köpt!

1 _____ !

god mat, otroligt, har, gjort, du

2 _____ !

stressig, är, december

3 _____ !

vackert väder, har, blivit, det

4 _____ !

dåligt, mår, jag, i dag

4 _____ !

fantastiskt vackert, sjöng, Lucian, i morse

6 _____ !

var, **fina påskkärringar**, förra året, ni

B Skriv 3–5 egna utrop enligt samma mönster som här ovanför.

Till sist

5 Partikelverb

klä ut sig
På en maskerad brukar man klä ut sig. Man kan klä ut sig till t ex kändisar eller historiska personer.

delar ut
Kungen delar ut Nobelpriset den 10 december. Ceremonin brukar vara i Konserthuset i Stockholm.

slår ut
Björkarna slår ut vid Valborg i Stockholm. Då blir staden grön.

ramlar omkull
I dag knuffade en man mig så hårt i tunnelbanan, att jag ramlade omkull.

dyker upp
I går kväll kom Peter hem till mig utan att ringa innan. Han bara dök upp! Jag blev jätteförvånad, men glad förstås!

blanda ihop
Jag är så dålig på svensk geografi. Jag blandar alltid ihop Vänern och Vättern. Är det Vättern som är störst?

hjälper till
– Kan du hjälpa mig att flytta? – Ja, jag hjälper gärna till!

hjälpas åt
– Jag orkar inte måla hela lägenheten själv. – Vi kan väl hjälpas åt?

sätter igång
– Vi sätter igång redan klockan åtta på morgonen. – Åh nej, kan vi inte börja lite senare?

A Välj partikelverb här ovanför och skriv dem i rätt form där de passar in.

1 I går när jag cyklade hände något hemskt. En man _____ plötsligt bakom ett gathörn helt oväntat. Jag hann inte svänga och körde på honom. Han_____, men han blödde inte.

2 I går skedde ett rån på posten. Rånaren hade _____ sig till påskkärring. Men han hade otur för alla _____ att hålla fast honom på postkontoret, tills polisen kom.

3 – Jag har inte köpt några julklappar än. Jag måste verkligen

_____. Det är redan lucia. Men jag hinner nog

inte köpa alla själv. Kan du _____?

 – Ja, jag kan köpa hälften. – Tack!

4 Herregud! Jag har _____ alla paket. Då vet ju inte

tomten vilket som är vems när han ska _____ dem.

5 När syrenerna _____ fylls hela staden av en

underbar doft.

B Skriv egna meningar med partikelverben från övning A.

6 Sammansatta ord

A Kombinera till sammansatta ord. Alla ord finns i texten, men du kan
göra fler ord. Kombinera så många du kan.

björk	buljong
färsk	dag
födelse	kaka
helg	katt
hund	kärring
lusse	potatis
peppar	ris
påsk	tid
skinka	visa
snaps	ägare
år	bulle

B Skriv en text med så många sammansatta ord som möjligt från övning A.

7 Repetera: verb, grupp 4

De här 36 verben från grupp 4 har använts i boken hittills. Titta igenom listan och se om du kan verben. Gör sedan uppgift A – H. Tänk på att vissa verb hör till flera grupper.

gör   angriper   får   ligger   står

befinner   förbjuder   måste   säger

förstår   behåller   innehåller   ser   säljer

blir   bör   sitter   ska   sätter

skriver   heter   tar

drar   hinner   skriker   undviker

finns   dricker   ifrågasätter   vill   vet

slipper

dör   innebär   spricker   översätter

A Det finns 7 hjälpverb. Vilka är de? Skriv de verben i imperativ, infinitiv, presens, preteritum och supinum.

B Skriv 2 exempelmeningar med varje hjälpverb. Variera tempus.

C Det finns 10 verb som består av prefix och verb. Vilka är de?
Skriv de fem formerna av de verben.

D Skriv en exempelmening med de 10 verben från C.

E Det finns 12 verb som hör till böjningsgrupperna i–a–u och i–e–i.
Vilka är de? Skriv de 5 formerna av de verben.

F Skriv en exempelmening med varje verb från de här grupperna.

G Det finns 17 oregelbundna verb. Vilka är de? Skriv de fem formerna av dessa verb.

H Skriv en exempelmening med varje oregelbundet verb.

14 [1] Emfatisk omskrivning

Jag åt upp din chokladkaka i går.
Det var jag som åt upp din chokladkaka i går.

Fokus på subjektet

Jag åt upp din chokladkaka i går.
Det var din chokladkaka (som) jag åt upp i går.

Fokus på objektet

Jag åt upp din chokladkaka i går.
Det var i går(som) jag åt upp din chokladkaka.
Den låg i köket.
Det var i köket den låg.

Fokus på
tid eller plats

Åt du upp min chokladkaka?
Var det du som åt upp min chokladkaka?

Ja/nejfråga med
fokus på subjektet

Åt du upp min chokladkaka?
Var det min chokladkaka (som) du åt upp?

Ja/nejfråga med
fokus på objektet

Åt du upp min chokladkaka i går?
Var det i går (som) du åt upp min chokladkaka?

Ja/nejfråga med
fokus på tid
eller plats

Vem har ätit upp min chokladkaka?
Vem är det som har ätit upp min chokladkaka?

När man vill betona någon del av satsen kan man använda emfatisk omskrivning.
Påståenden: Det är/var … (som) + bisats.
Ja/nejfrågor: Är/Var det … (som) + bisats?
Frågeordsfrågor: Frågeord + är det/var det + bisats.
'Som' behöver man bara när man har fokus på subjektet.

Sortera meningarna.

1A: det/i Sverige/träffades/Var/ni??

_____

 B: Nej, i London.

2A: hus/Vem/som/ritat/det/har/ert/är??

_____

 B: Min bror. Han är arkitekt.

3A: du/det/som/Är/har/diskat/kopp/inte/din??

_____

 B: Ja.

4A: 1998/det/gifte/Var/er/ni??

_____

 B: Nej, 1988.

5A: ingen/läxan/Varför/det/som/är/gjort/har?

_____

 B: Vet inte.

B Skriv om meningarna till emfatisk omskrivning. orden med fet stil ska ha emfas.

1 **Jag** läste en bok om Sveriges historia i vardagsrummet i går.

_____

2 Jag läste **en bok om Sveriges historia** i vardagsrummet i går.

_____

3 Jag läste en bok om Sveriges historia i **vardagsrummet** i går.

_____

4 Jag läste en bok om Sveriges historia i vardagsrummet **i går**.

_____

5 **Vem** har inte låst dörren efter sig?

_____

6 Har **någon** låst ytterdörren?

_____

C Skriv om dialogen till emfatisk omskrivning. Orden med fet stil ska ha emfas.

1 A: **Vem** använde min dator i går?

_____

 B: **Jag** gjorde det inte.

_____

2 A: Inte? Satt inte **du** på min plats när jag kom från lunchen?

_____

 B: Jo, men jag satt inte där **i går**.

_____

3A: Nähä. **När** satt du där då?

_____

B: Jag satt vid din dator i **förrgår**.

_____

2 Transitiva och intransitiva verb

Det finns risk att texten på ett kvitto bleknar bort.
Ljuset bleker texten på kvittot.

En del intransitiva verb slutar på -na.

INTRANSITIVA	TRANSITIVA
bleknar	bleker
drunknar	dränker
fastnar	fäster
vaknar	väcker
kallnar	kyler
slocknar	släcker
sover*/somnar	söver

Några verb har -s när de är intransitiva.
(Se kapitel 12.)

INTRANSITIVA	TRANSITIVA
bits*	biter*
kittlas	kittlar
knuffas	knuffar
luras	lurar
retas	retar
sparkas	sparkar

Intransitiva verb byter ofta vokal eller ändras
lite på annat sätt när de blir transitiva.

INTRANSITIVA	TRANSITIVA
brinner*	bränner
dör*	dödar
faller*	fäller
ligger*	lägger*
sitter*	sätter*

INTRANSITIVA	TRANSITIVA
sjunker*	sänker
spricker*	spräcker
står*	ställer

A Skriv presens, preteritum och supinum av verben här ovanför som är special
(markerade med *). 🖉

Exempel:

PRESENS	PRETERITUM	SUPINUM
sover	sov	sovit

B Välj verb och skriv de i rätt form där de passar in. En del verb ska inte
användas alls, en del verb ska användas flera gånger.

1 falla/fälla

– Såg du ishockeymatchen mellan Sverige och Kanada i går? En svensk

_____ i andra minuten och slog sig illa. På reprisen

såg man att det var en motspelare som _____ honom.

2 brinna/bränna/kallna/kyla

I går eldade vi upp våra gamla trädgårdsmöbler. Träet var gammalt så möblerna

_____ jättebra. Tyvärr _____ jag

mig på ena handen, men jag sprang till köket och _____

handen med kallt vatten. Jag älskar att se eldar _____!

Tänk om jag har varit pyroman i ett tidigare liv?

3 slockna/släcka

– Doftljuset har _____. Var det du

som _____ det?

– Nej. Det kanske _____ av sig självt.

4 ligga/lägga/vakna/väcka/stå/ställa/somna/söva

Nu går jag och _____ mig. Kan du

_____ mig klockan sju i morgon?

– Har du inte _____ väckarklockan?

– Jo, men den ringer så tyst, så ibland _____ jag inte av den.

– Kan du inte ta klockradion som _____ i arbetsrummet
också?

5 blekna/bleka

– Tycker du att jag ska _____ håret?

– Nja, jag vet inte. Det är ju sommar snart och då _____

väl håret av all sol?

6 spricka/spräcka/sitta/sätta

– Hjälp, jag har ätit så mycket att jag tror att jag _____.

Jag kan nästan inte _____ mig i soffan.

– Akta dig, så att du inte _____ dina nya byxor!

7 fastna/fästa/sitta/sätta

– Jag försökte _____ upp affischen med tejp, men den

_____ inte.

– Kan du inte försöka _____ den med knappnålar i stället? Då

kommer affischen att _____ perfekt.

8 drunkna/dränka/ligga/lägga

– Vet du om det är sant att man _____ kattungar förr i tiden genom att

_____ dem i en säck med en sten i och sedan kasta säcken i vattnet?

– Åh, fy vad hemskt! Det hoppas jag verkligen inte. Men om någon gjorde det

tycker jag att den personen kunde prova själv hur det är att _____ i en mörk

säck och _____ sakta men säkert i det kalla vattnet.

9 dö/döda

– Min farfar _____ i förrgår.

– Nej, vad tråkigt.

10 sjunka/sänka

– Nu när Riksbanken har _____ räntan hoppas jag

att vi kan köpa ett större hus.

– Ja, vi får hoppas att priserna också _____.

Till sist

3 Ord: byta, förändra, växla, ändra

> Jag skulle vilja byta de här jeansen = till någon/något annan/annat.
> Jag har förändrats en hel del sedan jag flyttade till Sverige = göra/bli
> annorlunda. Ändra mycket/på djupet.
> Jag skulle vilja växla 300 euro till dollar.
> Vädret växlar ofta i april.
> Gamla vanor är svåra att ändra = göra så att något inte blir som förut.
> Först tackade hon ja till jobbet, men sedan ändrade hon sig och
> tackade nej = tycka på ett annat sätt än vad man gjorde först.

Välj verb ur fokusrutan och skriv dem i rätt form där de passar in.

1

– Kan vi gå nu?

– Vänta, jag måste bara _____ kläder.

2

– Har du _____ pengar till resan?

– Nej, jag gör det på flygplatsen. Det är lugnt.

3

– Ska inte du träffa Agnes i kväll?

– Jag hade bestämt med henne att vi skulle gå ut, men nu har hon

_____ och ska stanna hemma i stället.

– Vad tråkigt!

4

– Kan vi inte _____ möbleringen hemma lite? Jag skulle vilja flytta

på soffan till exempel.

– Nej, snälla. Inte nu igen!

5

– Hur går det för din dotter Karin? Är hon fortfarande politiskt intresserad?

– Ja, verkligen. Hon är lite blåögd och tror att hon kan _____ hela

världen genom att gå med i ett politiskt ungdomsförbund.

6

– Snälla kan du _____ kanal? Det här programmet är ju jättetrist.

– Jag tycker att det är intressant.

7

– Hur gick det på provet?

– Sådär. Tyvärr blev jag osäker och _____ några svar, trots att de var rätt.

8

– I dag är det bara 2 grader ute. I går var det tio.

– Ja, temperaturen _____ mycket så här års.

9

– Tror du att den nya presidenten är bra?

– Jag vet inte. Men hon vill i alla fall _____ landets politik i grunden.

10

– Ska du flytta ihop med din flickvän?

– I går ville jag det, men har jag _____. Hon kommer att bli galen på mig.

4 Ordkunskap: verb

Välj verb ur rutan och skriv dem i rätt form där de passar in

> dra   framföra   göra åt   hålla   kalla   lösa   återgå

I går när jag hade _____ en föreläsning för studenterna på universitetet,
                              1

blev jag _____ till ett möte. Personalen hade _____
                  2   3

hård kritik mot våra nya arbetsrutiner. Alla var ganska upprörda och ledningen vill

_____ problemet direkt, men man visste inte vad man skulle
              4

_____ saken. På mötet var det flera som skrek och bråkade och
              5

vår chef bad oss att vi skulle _____ till ordningen. Chefen presenterade
                                        6

några nya förslag för oss, men ingen verkade nöjd ändå. Efter en timmes diskussioner

_____ hon slutsatsen att vi måste anlita en konsult som kunde hjälpa oss.
            7

5 | Verb: repetera tempus

Skriv verben inom parentes i rätt form/tempus. Ibland kan olika tempus vara möjliga.

I vintras _____ vi till fjällen för första gången. Barnen
                  1 (resa)

_____ skidor ett par gånger tidigare, men det _____
        2 (åka)   3 (vara)

i den lilla skidbacken som _____ utanför vårt bostadsområde.
                                    4 (ligga)

Vi _____ packa väskorna dagen innan. Det
        5 (börja)

_____ en massa saker som _____ med, skidor, stavar,
        6 (vara)   7 (ska)

hjälmar och alla kläder förstås. På morgonen, när vi _____,
                                                              8 (åka)

_____ vi en stor frukost. Vi _____ upp tidigt, så alla
        9 (äta)   10 (gå)

_____ väldigt trötta. Barnen _____ i soffan medan
        11 (vara)   12 (halvsova)

vi _____ in allt i bilen. Klockan tio _____ vi äntligen
        13 (packa)   14 (kunna)

börja vår resa norrut. Det _____ en lång resa, så vi
                                    15 (bli)

_____ med oss några smörgåsar och dricka.
        16 (ta)

När vi _____ i en timme _____ första frågan från
            17 (köra)   18 (komma)

baksätet: "När _____ vi framme?" Jag _____ att det
                    19 (vara)   20 (svara)

_____ ungefär åtta timmar till. Efter ytterligare en timme
        21 (ta)

_____ barnen att de _____ hungriga och
        22 (säga)   23 (vara)

_____ äta på någon hamburgerrestaurang. De _____ upp
        24 (vilja)   25 (äta)

smörgåsarna redan!

Vi _____ efter ett tag och _____ hamburgare.
    26 (stanna)   27 (äta)

Jag _____ inte speciellt hungrig eftersom jag _____ så
      28 (vara)   29 (äta)

mycket till frukost. Efter lunchstoppet, när vi just _____ iväg hörde
                                                        30 (komma)

vi vår yngsta dotter: "Jag måste _____ på toa!" Suck!
                                    31 (gå)

Efter många, långa timmar _____ vi fram i alla fall. Vi
                             32 (komma)

_____ en underbar vecka i fjällen. Solen _____ och
    33 (ha)   34 (skina)

det _____ fint i backarna.
      35 (vara)

Kvällen innan vi _____ hem _____ min fru och jag
                    36 (resa)   37 (diskutera)

bilresan hem. Resan upp _____ en mardröm, så nu
                           38 (vara)

_____ vi oss för att _____ hem på natten i stället.
    39 (bestämma)   40 (resa)

Vi hoppades att barnen _____ hela hemresan.
                          41 (sova)

15 ☐1 Demonstrativa pronomen

De tillfrågade fick välja mellan dessa svarsalternativ: …

'Denna' = 'den här'
'Detta' = 'det här'
'Dessa' = 'de här'
'Denna'/'detta'/'dessa' + bestämt adjektiv + obestämt substantiv. *
'Den'/'det'/'de här' + bestämt adjektiv + bestämt substantiv.
'Denna'/'detta'/'dessa' är i de flesta delar av Sverige mer formellt än
'den'/'det'/'de här'/'där'.

* I vissa delar av Sverige har man bestämd form av substantivet efter
denna/detta/dessa i talspråk.

Skriv adjektiven eller participen och substantiven inom parentes i rätt form.

1 Jag skulle vilja diskutera denna _____
(svår, fråga)

med någon klok person.

2 Vem är det som har hittat på dessa _____?
(omöjlig, uppgift)

3 Har du läst den här _____?
(nyutgiven, bok)

4 Jag skulle vilja att alla läser detta _____
(viktig, meddelande)

inför mötet i morgon.

5 Jag ska sälja de här _____.
(nyrenoverad, stol)

6 Kan du ta dig en titt på det här _____?
(omarbetad, manuskript)

7 Tycker du att jag ska ha de här _____ på festen?
(högklackad, sko)

8 Vad ska vi göra med alla dessa _____?
(gammal, fotografi)

9 Du måste läsa den här _____.
(intressant, artikel)

10 I det här _____ bodde min mormor och morfar.
(liten, hus)

2 Tempus: presens perfekt eller preteritum perfekt utan 'har' eller 'hade'

> ... du börjar med det du gjort senast

> I bisats kan man stryka 'har' eller 'hade' före supinum.

I vilka av nedanstående meningar kan man stryka *har* eller *hade*?

1 Magdalena har sett *Borta med vinden* fem gånger.
2 Vet du vem som har skrivit den här boken?
3 Telefonen ringde när Lasse hade gått ut.
4 Carl säger att det är så lätt att lösa sudoku, men jag har aldrig förstått hur man gör.
5 Anna har bott utomlands i många år och hon påstår att hon aldrig har längtat hem.

3 Relativa 'som'

> Presentera bara dem som är intressanta
> s
> med tanke på tjänsten du söker.
> s

> Man måste ha 'som' när det är subjekt i bisatsen.
> När något annat ord är subjekt i bisatsen behöver man inte ha 'som'.

Vilka *som* kan man stryka i meningarna här nedanför?

1 Ange i ditt CV vilka dataprogram som du behärskar.
2 Under "övriga uppgifter" skriver du om andra uppgifter som kan vara intressanta för arbetsgivaren, om du har körkort till exempel.
3 Om det är relevant för tjänsten som du söker kan du ange dina färdigheter inom de olika språkområdena.
4 Skriv det språk som du kan bäst först.
5 Hoppa över erfarenheter som du själv inte är stolt över.

4 Partikelverb

> Jag kunde se om en film jag gillade hur många gånger som helst.

> Partikeln 'om' kan ha betydelsen "igen/en gång till".

A Skriv ett verb som passar med partikeln *om*.

1 Det var bara sex månader sedan Martina skilde sig från Evert. Hon träffade en ny

man ganska snart och nu till sommaren ska hon _____ om sig.

2 Sofia gillar inte färgen hon har på väggarna, så hon tänker _____ om dem i helgen.

3 Paulina älskar García Marquez böcker. Hon blev så fascinerad av *Hundra år av ensamhet* att hon ville _____ om den direkt.

4 Jag är inte helt nöjd med den här texten. Jag ska nog _____ om den.

5 Den här kavajen känns inte helt modern. Tror du att en skräddare skulle kunna _____ om den?

6 Mats och Anna tycker inte att deras hus är så funktionellt, så nu tänker de _____ om det.

7 Alicia klarade inte kursen, så nu måste hon _____ om den.

8 När datorn krånglar kan man pröva att _____ om den.

9 – Nej, det här blev inte bra. Kan vi inte _____ om från början?

10 Bilen får inte stå på den här gatan i morgon, så då måste vi _____ den.

Jag hoppade till när jag såg att Bio Rio sökte extrapersonal.

Partikeln 'till' kan betyda att något händer plötsligt och bara en gång.

B Välj verb ur rutan och skriv dem i rätt form där de passar in.

nicka   rycka   skratta   tänka   skrika   hosta   flaxa   slå

1 Komikern tyckte att kvällen hade varit ganska misslyckad. Det var bara någon ur publiken som _____ till då och då.

2 Precis när jag var på väg att somna _____ jag till så att jag råkade välta ut ett vattenglas som stod på sängbordet.

3 Pia blev så arg på sin storebror när han retades att hon _____ till honom hårt i magen.

4 Morfar brukar bli så trött när han tittar på nyheterna att han ofta _____ till framför teven.

5 Ingen hörde att Anita kom in i rummet, så hon _____ till lite diskret

för att väcka de andras uppmärksamhet.

6 Skräckfilmen var så hemsk! När psykopaten dök upp igen i slutscenen blev jag så

rädd att jag _____ till.

7 Anders skulle fotografera den sovande fågeln, men plötsligt _____

den till. Det var något som hade skrämt den.

8 Vi måste _____ till ordentligt innan vi lägger ett högre bud på huset.

Är det verkligen värt pengarna?

Sekreteraren hade åkt på en Medelhavs-
kryssning för att vila ut.

Partikeln 'ut' kan ha betydelsen
att man gör något "färdigt/
slutgiltigt/helt och hållet".

C Skriv ett verb som passar med partikeln *ut*.

1 Det är skönt när helgen kommer och man äntligen kan få _____

ut på morgnarna.

2 Körledaren var lite missnöjd med sångarna i kören. Hon tyckte inte att de

_____ ut ordentligt.

3 Karin och Johan har haft det ganska dåligt i sitt förhållande en tid. Men förra

helgen satte de sig ner och _____ ut om alla problem, missförstånd

och annat och nu är allt bra igen.

4 En kusin till mig är så tjatig och självupptagen. Han _____ ut mig

totalt med sitt prat om sig själv.

D Skriv en egen historia med partikelverben i rutan.

känna på sig	komma på	ha för sig
komma av sig	ställa upp	gå sönder
hålla hus	hålla på	vila ut

Till sist

5 Prepositionsfraser

Vid sidan av studierna vikarierade hon på olika skolor i Stockholm (mest årskurs 7–9).

När man binder ihop satser och vill visa sammanhanget mellan dem använder man ofta konjunktioner och subjunktioner. Men man kan också använda prepositionsfraser. Språket blir då oftast mer formellt.

Använd prepositionsfraserna här nedanför för att bygga ihop två meningar till en. Formulera om och stryk eller lägg till ord där det behövs. Placera prepositionsfrasen där du tycker att den passar bäst, i början av meningen eller mellan fraserna.

Exempel:

I jämförelse med

Tessans hund är stor. De andra hundarna på kursen är inte lika stora.

Maja är väldigt bra på tennis i jämförelse med Anna och Stina.

Eller:

I jämförelse med Maja är Anna och Stina inte så bra på tennis.

1 med hjälp av
Niklas lyckades sluta röka.
Det gjorde han med akupunktur.

2 i samband med
Peter och Lotta sålde sitt sommarställe.
Det gjorde de vid skilsmässan.

3 med tanke på
Man borde använda cykelhjälm.
Orsaken är alla cykelolyckor i stan.

4 till skillnad från
Carin är mörkhårig.
Hennes lillasyster är blond.

5 på grund av
Dagiset är stängt i dag.
Orsaken är att alla i personalen är sjuka.

KOPIERING AV DETTA ENGÅNGSMATERIAL ÄR FÖRBJUDEN ENLIGT LAG OCH GÄLLANDE AVTAL

6 | Adjektiv: positiv eller negativ betydelse

A Välj adjektiv ur rutan och skriv dem där de passar in.

petig	sällskapssjuk	snål	fantasilös
orealistisk	dumdristig	underlig	splittrad
tanklös	framfusig	mästrande	~~slösaktig~~

POSITIV	NEGATIV
1 generös	_slösaktig_
2 fantasifull	
3 social	
4 ekonomisk	
5 noggrann	
6 ovanlig	
7 pedagogisk	
8 mångsidig	
9 modig	
10 saklig	
11 framåt	
12 spontan	

B Skriv egna exempel med adjektiven från övning A. 🖊

Exempel:

Rune är så slösaktig. Så fort han har lite pengar gör han av med allt
på en massa onödiga saker.

KOPIERING AV DETTA ENGÅNGSMATERIAL ÄR FÖRBJUDEN ENLIGT LAG OCH GÄLLANDE AVTAL

RIVSTART B1   Övningsbok

7 | Repetition: ordföljd

Sortera meningarna. Börja med orden i fet stil.

1 _____

_____

När/gå/intervju/ska/man/en/på + det/vikigt/är + väl/man/att/är/förberedd

2 _____

_____

Innan/börjar/ditt/skriva/du/CV + bra/är/det + ta/så/om/att/på/reda/mycket/möjligt/företaget/som

3 _____

_____

Välj/en/referensperson/hellre/annan + tror/inte/du/om + din/chef/att/förra/ge/kommer/bra/att/dig/referenser

4 _____

_____

Det/viktigt/är + inte/att/överdriver/du + skriver/ansökningsbrev/när/du

5 _____

_____

Det/bra/är + kan/konkreta/om/ge/man/exempel/saker/bra/på + man/som/gjort/har/tidigare

8 | Ordföljd: indirekt tal

Skriv om dialogerna till indirekt tal. Ändra du och jag till hon.

Exempel:

A: Kan du berätta lite om dig själv.

A frågar om hon kan berätta lite om sig själv.

B: Jag vet inte var jag ska börja.

A: Du kan väl börja med att berätta om din universitetsutbildning

B: Jag har ingen formell utbildning.

A: Har du ingen universitetsutbildning?

B: Det stämmer.

A: Varför har du egentligen sökt det här jobbet?

B: Jag visste inte att man behövde universitetsutbildning för att steka hamburgare.

A: Det måste ha blivit något missförstånd.

B: Vad är fel?

A: Den här intervjun handlar om jobbet som marknadschef.

Varför ligger det en massa skor i hallen?
Skorna ska stå ordentligt i skohyllan.

Verben 'står' och 'ställer' använder vi om saker som har en
"upp"-sida och en "ner"- sida om saken är i "rätt" position.
Verben 'ligger' och 'lägger' använder vi om samma saker om
de inte är i "rätt" position, och om saker som inte har någon
"upp"- eller "ner"-sida.

OBS! När det gäller till exempel människor beskriver verben
'står' och 'ligger' bara vilken position de befinner sig i.

Skriv *står*, *ställer*, *ligger* eller *lägger* i rätt tempus.

1 När vi hade haft inbrott _____ alla våra grejer på golvet i en enda röra.

Men de hade inte rört cd-skivorna. De _____ ordentligt i cd-hyllan.

2 – Här får du inte parkera! – Men, min bil _____ här de senaste tre

åren, utan att någon har sagt något.

3 – Jag hittar inte smöret. – Det _____ i kylskåpet. – Och tomaterna?

– De _____ i skafferiet.

4 – När vi körde till flygplatsen, åkte vi förbi en plats där det hade varit en trafikolycka.

Flera bilar _____ upp och ner i diket. Några bilar _____

kvar på vägen, men var helt förstörda. Det såg hemskt ut. På flygplatsen

_____ vi bilen på långtidsparkeringen. När vi kom tillbaka efter tre

veckors härlig semester _____ inte bilen kvar. Någon hade stulit den!

5 – Varför _____ din cykel på gräsmattan? Du kan inte bara släppa den så

där när du har cyklat. Kan du inte _____ den i garaget?!

6 – Den här boken är så stor. Den får inte plats i bokhyllan. – Den kanske inte kan

_____ upp, men om du _____ den ner kanske den får plats.

2 Prepositioner för känslor

Jag blir galen på er.

Jag är galen i chili.

Jag är nervös för svärmors besök.

Jag är glad/ledsen/bekymrad/generad över/för
hur det ser ut här hemma.

Jag är irriterad över att behöva städa själv.

Jag ska försöka vara snäll mot svärmor.

Jag är nöjd med festen.

'På' använder vi ofta vid negativa känslor.

'I' använder vi ofta vid positiva känslor.

'För' används ofta vid adjektiv som uttrycker oro och rädsla.

Vid adjektiven glad/ledsen/bekymrad/generad används 'över' eller 'för'.

'Över' används också tillsammans med "att + infinitiv" eller bisats.

'Mot' används vid attityd och beteende + personer.

'Med' används vid attityd och beteende + saker.

A Gör en tabell med adjektiven ur rutan. Till vilken grupp hör de?
Några adjektiv kan höra till flera grupper.

avundsjuk   kär   snäll   besviken   elak

ordentlig   svartsjuk   försiktig

nervös   vänlig

orolig   sur   noga

galen

irriterad   slarvig   tokig   ovänlig

Exempel:

KÄNSLOR		ORO/RÄDSLA	ATTITYD/BETEENDE
NEGATIV	POSITIV		
arg	förälskad	rädd	nöjd

B Skriv en lämplig preposition.

1 – Jag är så arg _____ min dotter. Hon har blivit så elak

_____ sina syskon på sista tiden. Ibland blir jag galen

_____ henne, men jag försöker förklara lugnt och snällt hur man

ska bete sig.

2 – Blir inte du irriterad _____ folk som inte kan passa tider?

– Jo, jag blir jättesur _____ Pernilla när hon kommer försent. Det var

ju annorlunda i början. Då var jag kär _____ henne och var glad

att hon kom ...

3 – Jag är nervös _____ provet. – Jag med.

– Hoppas läraren blir nöjd _____ våra uppsatser.

– Jag hoppas att han är snäll _____ oss när han sätter betyg.

4 – Jag är tokig _____ smågodis. Jag kan inte sluta äta det ...

– Jag vet. Jag är jätteavundsjuk _____ dig som kan äta hur mycket

som helst utan att gå upp i vikt. Jag måste vara noga _____ vad

jag äter.

5 – Jag förstår inte varför butiksbiträdet var så ovänligt _____ mig.

– Äsch. Strunta i det. Hon var nog inte sur _____ dig. Hon var säkert

arg _____ chefen eller olyckligt kär _____ någon kille.

C Skriv 10 egna fraser med prepositionerna och adjektiven från övning B.

3 Ordkunskap

A Titta på exempelmeningarna. Försök förstå vad de kursiverade orden betyder.
   Använd ordbok om du behöver.

1 *Jämställdhet* är att kvinnor och män har samma möjligheter och rättigheter.
2 En finansminister har *ansvar* för ekonomin i landet.
3 Vi har ett *förråd* där vi har våra cyklar och en trasig gräsklippare.
4 Förr i tiden hade många familjer *hembiträde*, det vill säga en kvinna som
   bodde hos och arbetade för familjen.
5 En person eller en grupp personer som bor tillsammans är ett *hushåll*.
6 När man gifter sig ingår man ett *äktenskap*.
7 Om man inte kan *försörja* sig kan man ibland få socialbidrag av kommunen.
8 Den nya regeringen har *infört* flera nya lagar.

9 I dagens Sverige blir man *myndig* när man är 18 år. Det betyder t ex
   att man har rätt att rösta och själv får bestämma över sina pengar.

10 Två kvinnor eller två män som lever tillsammans lever i en *samkönad* relation.

11 På jobbet har vi fin *gemenskap*.

B Välj bland de kursiverade orden från övning A och skriv dem där de passar in.
   Några ord ska användas flera gånger.

1 Förr i tiden fanns inte så mycket ekonomisk hjälp från stat och kommun

   så det var viktigt att kunna _____ själv.

2 Förr i tiden var inte alla kvinnor _____. I dag blir ju

   alla det automatiskt när de fyller 18 år.

3 Förut kallade man EU för EG på svenska. Det stod för "europeiska

   _____ ".

4 I en regnbågsfamilj lever föräldrarna i en _____ relation

   dvs två män eller två kvinnor.

5 I mitt hus är vi ungefär 30 _____. Jag tror att ungefär

   hälften av dem är singlar och hälften består av mer än en person.

6 I vår båtklubb har vi en fantastisk _____. Vi hjälper

   varandra med allt.

7 I dag är det inte alls så vanligt att ha _____, men det är ganska

   vanligt med städerska.

8 Jag skulle aldrig vilja ha ett jobb med mycket _____ .

   Jag vill kunna slappna av efter jobbet och inte tänka på allt som kanske går fel.

9 Min pappa var lite extrem. Han hade ett _____ med mat

   i källaren om det skulle bli världskrig.

10 Mina barn var så trötta på att vi alltid pratade om jobb vid matbordet, så vi har

   _____ en ny regel: inget jobbprat vid matbordet.

11 När det blev diktatur i landet _____ man flera nya lagar.

12 När kvinnor och män har samma lön för samma arbete har vi fått

_____ i Sverige.

13 Peters och Marias _____ var inte lyckligt. De skilde sig

efter ett år.

10 Vi som lever i dag har _____ för att lämna en bra miljö

till våra barn och barnbarn.

4 Pronomen: 'hel' och 'all'

Hela familjen åkte på semester tillsammans.
Ett hembiträde sköter allt hemarbete.
Alla familjer ser inte likadana ut.
Allt blir roligare när man är två.
I bondesamhället hade inte alla rätt att gifta sig.

'Hel', 'helt', 'hela' används för räknebara substantiv.
'All' och 'allt' används för oräknebara substantiv.
'Alla' används vid substantiv i plural. 'Allt' och 'alla' kan också användas självständigt.

A Vilka substantiv är räknebara och vilka är oräknebara?

socker	uppmärksamhet	lyx
mjöl	familj	släkt
salt	släkting	

B Skriv rätt form av *all* och *hel*.

1 När jag var liten fick min lillasyster _____ uppmärksamhet för hon var

så gullig. När _____ släkten träffades pratade _____ släktingar

bara med henne.

2 En gång om året har vi släktträff. Då träffas _____ släkten och umgås

och har trevligt tillsammans. Vi brukar äta god mat och dricka vin. _____

mat och _____ vin brukar ta slut, för _____ släkten älskar mat.

3 När jag går på pizzeria brukar jag inte äta en _____ pizza. Då säger

alltid min dotter: "Ska du inte äta _____ pizzan? Då kan jag äta upp resten."

4 Jag har inte träffat min mormor på ett _____ år.

5 När jag var på slottet blev jag imponerad av _____ lyx. Det var så

mycket guld överallt.

6 Jag måste köpa mat. _____ mjöl och _____ socker är slut.

7 _____ frågar varför jag är så irriterad. Då svarar jag att jag är trött på

_____ som inte fungerar hemma. Diskmaskinen är trasig och det är

jättestökigt.

C Skriv egna meningar med *all* och *hel*.

5 Ordkunskap

Kombinera ord och förklaring.

1 En livsstilsfaktor
2 En svartsjuka
3 En syskonskara
4 En topp
5 En uppmuntran
6 En uppmärksamhet
7 Ett område
8 Ett självförtroende
9 Att påverka
10 Att tvinga någon

a är den översta delen av t ex ett berg.
b är att försöka göra så att de tycker eller gör som man själv vill.
c är att få någon att göra något genom att använda hot eller våld.
d är hur bra man tycker att man själv är.
e är när man lyssnar eller tittar på någon.
f är när man säger till någon att han eller hon är duktig.
g är när man är rädd att t ex ens partner tycker mer om någon annan.
h är systrarna och bröderna i en familj.
i är t ex rökning, övervikt eller alkoholmissbruk.
j är synonymt med zon eller area.

6 | Uttryck med färger

Kombinera.

1   1   Han har en vit vecka.
    2   Han är familjens svarta får.
    3   Han har en svart dag.
    4   Han jobbar svart.

a   Han betalar inte skatt.
b   Han dricker inte.
c   Han är annorlunda (på ett negativt sätt).
d   Han har många problem i dag.

2   1   Det är grönt.
    2   Hon blev grön av avund.
    3   Hon använder bara grön el.
    4   Hon var helt grön.
    5   Hon har gröna fingrar.

a   Hennes grannar hade köpt en ny bil och byggt en swimmingpool.
b   Hon hade aldrig gjort det förut.
c   Hon kan göra det nu.
d   Hon är jätteduktig med krukväxter.
e   Hon är mycket miljövänlig.

3   1   Han har inte ett rött öre.
    2   Han ser ingen röd tråd i boken.
    3   Finansministern är röd.
    4   Han säger att allt inte är svart eller vitt.
    5   Han vill ha det svart på vitt.

a   Han har inga pengar.
b   Han kan inte följa resonemanget.
c   Han står till vänster i politiken.
d   Han tycker inte alltid att det är så lätt att säga vad som är sant.
e   Han vill ha det skrivet på papper.

7 | Ordkunskap

Kombinera.

 1 Med ett panoramafönster
 2 Barnbidrag kallas de pengar som staten
 3 En tapet är ett papper
 4 Om man har sinne för humor
 5 Om man har läst någon samlade verk
 6 En svindlande utsikt
 7 Ett underhållsbidrag är pengar
 8 En dristig person
 9 Om man litar på någon
10 Våra medmänniskor är alla andra som
11 Om man får en frisedel
12 Att sända något är samma sak som att

a   som en förälder som inte lever med ett barn betalar till den andra föräldern.
b   är otroligt vacker.
c   ger till barnfamiljer.
d   har man läst allt som den personen har publicerat.
e   lever tillsammans med oss på den här planeten.
f   ser man hela den vackra utsikten.
g   skicka något.
h   skrattar man ofta.
i   slipper man göra något t ex lumpen.
j   som man sätter på väggen istället för att måla.
k   tror man på vad den personen säger.
l   är modig och vågar göra många saker.

Till sist

8 Repetera:
'sin', 'sitt', 'sina', 'hans', 'hennes' och 'deras'

A Skriv rätt form av *sin* eller *hans, hennes* och *deras*.

1 Ola är skild och han träffar _____ barn varannan vecka. Då bor

    _____ barn hos honom. Ola och _____ exfru träffas

    bara när de lämnar och hämtar barnen. _____ relation är inte så bra.

2 Ulrika trodde inte att _____ man ville ha barn. Men när hon frågade

    honom sa han att det var _____ största önskan i livet. Nu är de

    föräldrar och _____ äldsta son är tre år. Treåringen älskar

    _____ föräldrar.

3 Ibland undrar Ulf vems ansvar det är att hålla ordning hemma.

    _____ sambo verkar inte tycka att det är _____ ansvar

    för Ulf gör nästan allt. Ulf säger till _____ sambo att hon måste

    hjälpa till. _____ gemensamma barn gör ingenting heller.

4 Det är bra att visa _____ känslor ibland. Men ibland kan det vara bra

    att försöka kontrollera _____ temperament.

B Skriv 5–10 meningar med *sin, sitt, sina* eller *hans, hennes* och *deras*.

17   1 Ordkunskap

Kombinera ord och förklaring.

1 ett rike	**a** det översta av ett berg eller ett träd
2 en avgrund	**b** dör, försvinner
3 en jätte	**c** en jättestor "person"
4 en skalle	**d** en mycket djup dal eller spricka
5 består av	**e** ett huvud
6 spinner	**f** ett land
7 en topp	**g** ett slut
8 går under	**h** gör en tråd
9 en ände	**i** är gjord av/innehåller

2 Verb: tempusharmoni

	FÖRE REFERENSPUNKT	REFERENSPUNKT	EFTER REFERENSPUNKT
NU-TEMPUS	PRESENS PERFEKT har talat	PRESENS talar	PRESENS FUTURUM ska tala, kommer att tala, talar (imorgon)
DÅ-TEMPUS	PRETERITUM PERFEKT hade talat	PRETERITUM talade	PRETERITUM FUTURUM skulle tala

Tempus beror på vilken referenspunkt man har: NU eller DÅ.
I NU är *presens* huvudtempus och i DÅ är *preteritum* huvudtempus.
Normalt blandar vi inte NU-tempus och DÅ-tempus i samma fras.
Man kan inte säga: ~~Jag är trött för jag hade varit på fest~~.

Jag är lärare (NU). Min farfar var också lärare, men min
pappa var ingenjör (DÅ).
Min kusin ska bli läkare (NU). Min syster skulle bli
kemist men hon ändrade sig (DÅ). Nu är hon biolog (NU).

I en fras eller en
text kan man byta
referenspunkt och
då kan man byta
mellan DÅ-tempus
och NU-tempus.

A Här är tre texter med referenspunkt NU. Välj verb ur rutorna och skriv dem
   i rätt tempus där de passar in.

```
bli       diska      ha       hända
```

1 Petra sitter och tittar på all disk. Det kommer att ta hela natten att diska tänker

   hon. Hon _____ en fest för sina vänner. De har dansat vilt och
                        1

   druckit ganska mycket. Hoppas att grannarna inte _____ störda
                                                              2

   tänker, hon. Klockan är tre på natten och Petra är dödstrött. Hon tänker att hon

   _____ en annan dag. Hon sätter sig på en stol och tänker på allt
            3

   som _____ under kvällen.
                4

```
frysa     göra      hålla på      klättra
```

2 Ulf och Johan _____ upp på ett högt berg i Afrika. De är jättetrötta
                            1

   för de _____ nästan sju timmar. Det är kväll och det är kallt på
                    2

   bergets topp så de _____. De vill inte gärna sova på berget men de
                                3

   vill inte heller klättra ner mitt i natten. Varför har de inte tänkt på att ta med

   sovsäckar, kläder och mat? De undrar vad de _____.
                                                          4

```
läsa     sjunga      sova
```

3 Barbro läser godnattsaga för sitt barnbarn Miriam. Hon är trött i ögonen för hon

   _____ många böcker för Miriam. Hon säger att Miriam
            1

   _____. Men Miriam vill inte. Hon vill att mormor ska läsa en bok
            2

   till. Mormor säger att hon ska läsa en bok till om Miriam lovar att sova sedan.

   Men hon _____ om trollmor först.
                    3

B Skriv om texterna i övning A i med referenspunkt DÅ.

Exempel:

Peter satt och tittade ...

3 | Ordkunskap

A Vad betyder de kursiverade orden? Kombinera fraserna.
   Sigurd drakdödaren

1 När man *hugger* ved
2 När man *döper* ett barn
3 Om man *inte ens* har en brödbit hemma
4 Man kan ha en hund som *vaktar* lägenheten
5 Om man vill gömma något kan man *gräva* en grop
6 Min *förvåning* var stor.
7 En del djur bor i *hålor*
8 Den som är *mäktig*
9 En sak som är *väldig* eller *enorm*
10 En *objuden* gäst
11 Att komma ut *ur* något

a och lägga saken i den.
b har man verkligen ingen mat hemma.
c har mycket makt och kan bestämma över andra.
d Jag kunde verkligen inte tro att det var sant.
e om man är rädd för tjuvar.
f som är grottor i marken.
g är en person som inte är bjuden men som ändå kommer.
h är motsatsen till att gå in i något.
i delar man trä i mindre delar med en yxa.
j ger man det ett namn.
k är mycket stor.

B Kombinera ord och förklaring.
   Jätten Utgårdaloke

1 En borg
2 En värd
3 Ålderdomen
4 Att försvara något
5 Att avbryta något
6 Att fira något
7 Att vara oförskämd

a är att ha en fest av en speciell orsak.
b är den period i livet när man är gammal.
c är att vara otrevlig och säga elaka saker till någon.
d är en person som bjuder på middag eller fest.
e är att skydda det från fiender eller farliga saker.
f är ett jättestort hus av sten som kan fungera som skydd i krig.
g är att sluta med eller stoppa något.

4 Verb

Skriv verben inom parentes i rätt form.

Sigurd drakdödaren

Familjen Völsung var mycket rik och mäktig. De hade ett enormt hus,

byggt runt en ek, där de ofta hade fester. På en av festerna _____

1 (kommer)

en objuden gäst. Det var en äldre man med en stor svart hatt och grå kläder.

Han _____ fram till eken mitt i huset och _____

2 (går)   3 (hugger)

in ett svärd i dess stam. Han _____ att den som kunde dra ut

4 (säger)

svärdet _____ det. Alla män på festen _____ ,

5 (vinner)   6 (försöker)

men inte ens de starkaste av dem _____ . Den objudne gästen

7 (lyckas)

_____ utan att _____ vem han var, men många

8 (försvinner)   9 (säger)

_____ att det var Oden, som var känd för att ibland vandra

10 (tror)

runt bland människorna.

    Den yngste sonen i familjen _____ Sigmund. Han ville

11 (heter)

också försöka dra ut svärdet. Alla _____ eftersom de aldrig

12 (skrattar)

_____ att en pojke skulle lyckas med något som alla de starka

13 (kan tro)

männen hade misslyckats med. Till allas förvåning _____ han

14 (drar)

utan ansträngning ut svärdet. När han blev vuxen _____ han

15 (använder)

svärdet i många strider ända tills den mystiske främlingen en dag _____

16 (dyker)

upp mitt i en strid och slog svärdet i tre delar. Sigmund _____

17 (förlorar)

striden och blev dödligt skadad. Innan han dog, _____ han sin

18 (ber)

 fru att bevara de tre delarna av svärdet.

5 Ordkunskap

Kan du orden i rutan? Kontrollera vad de betyder och skriv dem i rätt form där de passar.

```
skyddar        en ankomst       utfattig
botar          en skörd         uppretad
en ande        viskar           fastnar
```

1 De väntade på att han skulle komma hem. Men hans _____

blev försenad.

2 En björn är inte farlig om den inte är _____.

3 I kristendomen talar man om fadern, sonen och den helige _____.

4 Man kan använda solkräm för att _____ huden.

5 Med moderna mediciner kan man _____ många sjukdomar.

6 När man talar mycket tyst, _____ man.

7 Om man _____ någonstans kan man inte gå därifrån.

8 Om man verkligen inte har några pengar är man _____.

9 På hösten när vetet är moget, börjar _____.

6 Ordkunskap

Kombinera ord och förklaring.

1 en fors	a	att kunna göra något
2 ett skägg	b	en liten flod där vattnet rinner snabbt
3 en spelman	c	ett ställe i en flod där vattnet rinner rakt ner
4 ett rykte	d	frågar om någon vill gifta sig
5 en förmåga	e	frågar om någon vill ha något
6 ett vattenfall	f	har sönder något
7 alldeles	g	hår som män har i ansiktet
8 förstör	h	något som man hör som man inte vet om det är sant
9 friar	i	en musiker som spelar folkmusik
10 erbjuder	j	helt och hållet

7 Ordkunskap: liten och stor

ökar, minskar	liten, ung, vuxen, äldre, gammal
växer, krymper	rymlig, trång
väldig, enorm, kolossal	riklig, knapp
hög, låg	pytte-
lång, kort	jätte-

Välj ord ur rutan och skriv dem i rätt form där de passar in. Orden ska
ha samma betydelse som fraserna till vänster. Flera alternativ kan vara rätt.

1 Dinosaurierna var enorma djur.

  De var _____ -stora.

2 I år är färre personer arbetslösa än förra året.

  Arbetslösheten _____.

3 Lägenheten har plats för många personer.

  Den är _____ .

4 När jag tvättade tröjan blev den mindre.

  Tröjan _____ i tvätten.

5 Räntan har gått upp.

  Den är _____ nu.

6 Små barn blir större snabbt.

  Små barn _____ snabbt.

7 Vetenskapsmännen har hittat världens minsta djur.

  Det är _____ -litet.

8 Vi fick jättemycket mat på middagen.

  Middagen var _____.

9 En del har inte så mycket pengar.

  En del har det _____ om pengar.

10 Vi sitter många personer i samma rum på jobbet.

  Det är _____.

11 Vikingarna trodde att världen var ett väldigt träd.

  Det trodde att ett _____ träd byggde upp världen.

8 Partikelverb

Verbpartiklar har ibland en egen betydelse. Kombinera exempelmeningarna
med rätt förklaring av partikelns betydelse.

1 bort _____

Emma är så generös. Hon ger bort mycket av sin
lön till ideella organisationer.

Kan du ta bort dina fötter från bordet? Jag ser inte
texten på teven!

Katten har skrämt bort den fina fågeln som var här
i trädgården förut. Jag har inte sett den på länge.

2 ihop _____

Ofta när man köper möbler, får man ett paket med
delar. Man får sätta ihop möbeln själv.

Jag och min fru blev ihop på en semesterresa till
Mallorca. Vi träffades på planet och blev kära
direkt.

3 fast _____

En gång träffade jag en arg hund. Den bet sig fast i
mitt ben och ville inte släppa.

Therese hade bundit fast sin hund utanför snabb-
köpet, men när hon kom ut var han borta.

4 fram _____

När jag kom in på festen gick jag fram till värden
och hälsade.

Jag ville överraska min sambo så jag gömde mig
och hoppade fram. Han blev jätteöverraskad.

När snön smälter kommer ofta mycket skräp fram.

5 förbi _____

Vi var på en underbar vandring i Grekland. Vi
vandrade förbi många kyrkor och kloster.

På vägen till jobbet går jag förbi både Stadshuset
och Centralstationen.

6 ikapp _____

När jag var liten brukade jag äta ikapp med min
bror. Vi brukade se vem som kunde äta flest
pannkakor. Vi brukade springa ikapp också, alltså
se vem som sprang snabbast.

a Den här partikeln
betyder ofta att något
blir fixerat och inte går
att ta bort så lätt.

b Den här partikeln
betyder att något blir
synligt eller att man
går eller åker till en
speciell punkt.

c Den här partikeln
betyder ofta att något
försvinner eller att man
flyttar det så att man
inte kan se det längre.

d Den här partikeln
betyder ofta att något
passerar något.

e Den här partikeln
betyder ofta att saker
eller personer "kommer
tillsammans".

f Den här partikeln
handlar ofta om att
tävla och göra något
lika snabbt som, eller
snabbare än, någon
annan.

9 Repetera: subjunktioner

A Välj subjunktioner ur rutan och skriv dem där de passar in.
Ibland kan flera alternativ vara rätt.

> genom att   för att   utan att

1 Jag träffade en massa trevliga människor på semestern, men vi sa hej då

_____ ta varandras telefonnummer. Det var synd.

2 Vi hade en ny person i gruppen i går, men han försvann efter rasten

_____ säga vad han hette. Kanske hade han kommit

till fel grupp.

3 I slutet av kursen har vi ett prov _____ se vad vi behöver repetera.

4 Man stoppade nedhuggningen av almarna _____ klättra

upp i dem.

5 På vikingatiden använde man runor _____ skriva.

6 Oden kunde förstöra vapen bara _____ titta på dem.

7 Förr i tiden offrade man vid träd _____ få bättre skörd.

9 Man kan göra anteckningar _____ lättare kunna

återberätta något.

B Komplettera fraserna. Skriv en variant för varje subjunktion.
1 Jag lärde mig svenska genom att/för att/ ...
2 Jag reste till Sverige utan att ...
3 Jag skyndade mig så att/för att ...
4 Jag hoppade på tåget utan att ...
5 Jag flyttade hemifrån när jag var 18 år för att/utan att ...
6 Jag gick in i lägenheten utan att/för att

C Skriv 2–3 egna meningar med subjunktionerna från övning A.

KAPITEL 17

18 1 Satsförkortningar

> I min fantasi såg jag honom vandra
> omkring alldeles ensam och hjälplös.

Efter verben *se, höra, be* och *känna* använder man ofta en satsförkortning (objekt + infinitiv).

Fullständig sats: I min fantasi <u>såg jag att han vandrade</u> omkring alldeles ensam och hjälplös.

Satsförkortning: I min fantasi <u>såg jag honom vandra</u> omkring alldeles ensam och hjälplös.

Subjektet i bisatsen (… såg jag att <u>han</u> vandrade…) blir objekt (… såg jag <u>honom</u> vandra…)
i huvudsatsen.

Skriv om meningarna här nedanför. Använd satsförkortningar.

1 Anders hörde att hon grät.

_____

2 Vi såg att de sprang till bussen.

_____

3 Lotta såg att hennes son rökte.

_____

4 Jag bad att han skulle hjälpa mig.

_____

5 Vi kände att vinden blåste i håret.

_____

6 Olof bad att hon skulle sluta.

_____

7 Sandra hörde att bilen startade.

_____

8 Läraren såg att de fuskade.

_____

9 Klas hörde att hon kom hem.

_____

10 Elin kände att en myra kröp uppför armen.

_____

2 Uttrycka kontrast

De hade picknick i går, trots det dåliga vädret.
/Trots det dåliga vädret hade de picknick.

De hade picknick i går trots att det var dåligt väder.
/Trots att det var dåligt väder hade de picknick.

Man kan uttrycka kontrast på olika sätt, till exempel genom att använda:
'trots' = preposition (+substantiv)
'trots att'/'fastän' = subjunktion (+bisats)

Svenskarna håller ofta en låg profil men visar sig trots det ha stora befogenheter.

TROTS DET/TROTS DETTA
Det/detta syftar på en hel fras.

Skriv om meningarna här nedanför på två olika sätt med *trots* (= adverb).
Tänk på att du ibland måste ändra orden lite, från verb till substantiv.

Exempel:
Trots att de förlorade var de glada.

Trots förlusten var de glada.

Eller:

De förlorade. Trots det var de glada.

1 De tog en promenad trots att det regnade.

_____

_____

2 Trots att hon hade huvudvärk gick hon till jobbet.

_____

_____

3 Rickard klarade inte provet trots att han fuskade.

_____

_____

4 Trots att Alice hade yrsel tog hon bilen hem.

_____

_____

3 Uttrycka orsak och förklaring

Lars stannar hemma i dag därför att/eftersom han känner sig dålig.
Lars känner sig dålig. Därför stannar han hemma i dag.

Man kan uttrycka orsak och förklaring bland annat genom att använda:
'därför att'/'eftersom' = subjunktion
'därför' = adverb

A Skriv om meningarna här nedanför med *därför* (= adverb).

Exempel:
Hannah har träningsvärk eftersom hon har sprungit långt.

Hannah har sprungit långt. Därför har hon träningsvärk.

1 Stefan ska skaffa glasögon därför att han börjar se dåligt.

_____

2 Vi måste skynda oss eftersom bussen går snart.

_____

3 Jag måste stanna hemma i kväll därför att mina pengar är slut.

_____

4 Vi fick ta taxi eftersom bilen inte startade.

_____

B Skriv om meningarna här nedanför med *därför att* eller *eftersom* (= subjunktion).

1 Lukas var enormt hungrig. Därför åt han en jättepizza.

_____

2 Jag har inga pengar på mobilen. Därför kan jag inte ringa dig.

_____

3 Stolen är nymålad. Därför kan du inte sätta dig på den.

_____

4 Hon kan inte simma. Därför vill hon inte gå nära vattnet.

_____

4 Idiomatiska uttryck

A Kombinera uttryck och förklaring.

1 som klippt och skuren   a lite olika saker, lite av varje
2 ditt och datt   b inte spela någon roll, vara oviktigt
3 kors och tvärs   c totalt, 100%
4 hugget som stucket   d i olika riktningar
5 i ur och skur   e lugnt, som det ska vara
6 frid och fröjd   f i alla väder, när som helst
7 helt och hållet   g svårt att bestämma sig
8 i valet och kvalet   h passa precis

B Välj uttryck från övning A och skriv dem där de passar in.

1 Jag står i _____ om jag ska ta jobbet eller inte.

   Å ena sidan är det väldigt bra betalt, men å andra sidan måste jag jobba

   nästan dubbelt så mycket som nu.

2 I går träffade jag en gammal skolkompis. Vi gick och fikade och satt

   och pratade om _____. Det var jättetrevligt!

3 – Ska vi ta bussen eller tåget?

   – Det tar ungefär lika lång tid, så det är _____.

4 Agneta är verkligen käck. Hon cyklar till jobbet _____.

5 Efter en kort överläggning var rekryterarna överens om att Lars var

   _____ för jobbet. Bättre kandidat fanns inte.

6 Det har varit lite oroligt på arbetsplatsen en tid, men nu är allt

   _____ igen.

7 Oscar har tagit tjänstledigt en månad och reser _____

   i Europa. Senast vi hörde ifrån honom var han i Makedonien.

8 Jack har blivit laktosintolerant, så nu måste han avstå från mejeriprodukter

   _____.

5 Partikelverb

Välj partikelverb ur rutan och skriv dem på rätt plats i rätt form.

```
göra bort sig      skriva om      vila upp sig      ta med sig
orka med           slå sig ner     dela med sig     hoppa av
```

1

Jag _____ jättemycket i fredags. Jag trodde att vår chef
               1

hade gått hem, så jag skulle skoja lite. Jag _____ i hennes
                                                       2

stol och la upp fötterna på skrivbordet och låtsades prata i hennes telefon.

Alla skrattade utom min chef som hade sett allting. Hon hade bara varit

och hämtat kaffe! Jag vet inte om jag kommer att _____
                                                          3

alla kommentarer från kollegerna på måndag.

2

Peter är med i ett utvecklingsprojekt på jobbet, men han börjar tröttna och

funderar på att _____. Han _____
                        1   2

en lista på idéer till varje möte. De andra brukar däremot aldrig

_____ av sina idéer, utan de behåller dem för sig själva.
        3

Dessutom har Peter varit tvungen att _____ olika
                                                 4

dokument eftersom de var så dåligt skrivna.

   Under helgen ska Peter åka till ett spa och _____.
                                                        5

Sedan får han se hur han ska göra med projektet.

6 Fraser

A Kombinera verb och ord/fraser.

1 fatta		a	känna varandra
2 hålla		b	ett gott intryck
3 fylla		c	tillit
4 avskaffa		d	en relation
5 skapa		e	en funktion
6 ha		f	ett beslut
7 göra		g	idéer med varandra
8 vara		h	en låg profil
9 utbyta		i	titlar
10 lära		j	betydelse
11 känna		k	överens om något

B Skriv egna exempel med fraserna här ovanför.

7 Blandad grammatik

Markera rätt alternativ.

1 a Anna har kommit hem i tisdags.
  b Anna kom hem i tisdags.
  c Anna ska komma hem i tisdags.

7 a Glass är god.
  b Glass är goda.
  c Glass är gott.

2 a Jag har gjort bort mig vid flera tillfällen.
  b Jag har gjort bort mig vid flera tillfälle.
  c Jag har gjort bort mig vid flera tillfäller.

8 a Lisa är arg med sin syster.
  b Lisa är arg på sin syster.
  c Lisa är arg av sin syster.

3 a Du måste lyssna om vad jag säger.
  b Du måste lyssna över vad jag säger.
  c Du måste lyssna på vad jag säger.

9 a Bussen går tre gånger om timmen.
  b Bussen går tre gånger i timmen.
  c Bussen går tre gånger på timmen.

4 a Chefen sa att rapporten såg fin ut.
  b Chefen sa att rapporten såg fint ut.
  c Chefen sa att rapporten såg fina ut.

10 a Jim sprang maraton i fyra timmar.
  b Jim sprang maraton på fyra timmar.
  c Jim sprang maraton om fyra timmar.

5 a Jag har ont i huvudet.
  b Jag har ont i mitt huvud.
  c Jag har ont i huvud.

11 a Lukas gick och la sig klockan tio i går.
  b Lukas gick och låg sig klockan tio i går.
  c Lukas gick och lagt sig klockan tio i går.

6 a Marcia är en katolik.
  b Marcia är katoliker.
  c Marcia är katolik.

12 a Vi träffade med varandra i förrgår.
  b Vi träffades i förrgår.
  c Vi träffades varandra i förrgår.

13 a En kollega till mig, Anna, sa att sin semester hade varit fantastisk.
   b En kollega till mig, Anna, sa att sina semester hade varit fantastisk.
   c En kollega till mig, Anna, sa att hennes semester hade varit fantastisk.

14 a Jag har sett filmen två gånger och tänker att den var fantastisk.
   b Jag har sett filmen två gånger och tycker att den var fantastisk.
   c Jag har sett filmen två gånger och tror att den var fantastisk.

15 a Min syster frågar varför grälar vi hela tiden.
   b Min syster frågar varför hela tiden vi grälar.
   c Min syster frågar varför vi grälar hela tiden.

16 a Man måste vara modig för att hantera ett så stort djur.
   b Man måste vara modig att hantera ett så stort djur.
   c Man måste vara modig så att hantera ett så stort djur.

17 a Jag är trött i dag, för jag hade sovit dåligt.
   b Jag är trött i dag, för jag sov dåligt.
   c Jag är trött i dag, för jag har sovit dåligt.

18 a Just när jag skulle lägga mig ringde telefonen.
   b Just när jag ska lägga mig ringde telefonen.
   c Just när jag lägger mig ringde telefonen.

19 a Vet du vem som diskade inte efter sig?
   b Vet du vem diskade inte efter sig?
   c Vet du vem som inte diskade efter sig?

20 a Vi ska inte resa utomlands, utan stanna hemma på semestern i år.
   b Vi ska inte resa utomlands, men stanna hemma på semestern i år.
   c Vi ska inte resa utomlands, så stanna hemma på semestern i år.

8 | Ordkunskap: verb

Skriv egna exempel eller korta historier med verben i rutan.
Alla verb kommer från textboken.

uppfattar	hotar	tillbringar	avlider
leder (till)	vänjer sig	slipper	ökar
vandrar	inser	inför	drabbar
avslutar	underlättar	dröjer	hanterar
umgås	nämner	betraktar	
grälar	sprider sig	överraskar	